나의 시간이 머물 때

나의 시간이 머물 때

박성아

홍소리

김성은

Y.H

강병준

오경임

어디를 가도 문화가 다르듯 우리가 살아가는 문화가 다르다. 서로 가 존중받고 배려하는 삶. 어쩌면 우리가 찾아나선 조각들일지도 모른다. 그 모든 조각들이 모여 한 글씨, 한 문장이 만들어지고 한 페이지가 만들어졌을때 서로를 이해할 수 있었다.

누군가는 첫글자를 쓰는데 20년이 걸렸고, 다른 누군가는 목숨과 도 맞바꿔 글을 썼다. 책 한권에 모두의 희노애락이 담겨있다.

글ego라는 페이지에 6명의 작가의 시간을 녹여 새로운 여행지를 만들어 냈다.

- 공동저자 中 강병준

차 례

마지막 도시,
마드리드라는 케렌시아

박성아

박성아　초록색의 자연과 파란 하늘 그리고 소설책과 영화를 좋아합니다. 새로운 것에 낯을 가리기도 하지만 다양한 경험에 호기심이 강하고 그 속에서 작은 가치를 찾을 때 즐거움을 느낍니다. 밀도 있게 삶을 사는 것을 중요한 가치로 여기고 있습니다. 내면의 목소리에 귀 기울이고 단단한 마음 근육을 만드은 일들을 찾아다닙니다.

동물의 왕국을 보면 최상위 포식자는 눈에 보이는 사냥감을 무자비하게 사냥한다. 그날의 나는 그들의 눈에 띈 사냥감이었다. 나를 둘러싼 불량한 무리들은 크게 웃으며 시끄럽게 굴고 있었다. 캐리어와 가방을 가져가겠다는 제스처를 취했지만 공공장소기 때문에 큰 문제가 일어날 것이라고 생각하지 않았다. 내 좌우에 한 명씩 앉고 몇 명은 앞쪽에 서서 여유롭게 사냥감을 포위했다. 큰 캐리어와 가방이 마치 먹잇감이라고 된 것처럼 모두들 흥분한 상태였다. 그렇게 시끄러운 소음에도 지하철에 탄 사람들은 아무 일도 없다는 듯이 내 쪽을 쳐다보지 않았다. 눈이 마주쳤지만 피해버리는 사람, 신경은 쓰이는지 힐끔힐끔 보는 사람, 그러나 대부분은 시끄러운 무리들과 눈을 마주치지 않으려는 것 같았다. 무언가 잘못되었다는 생각이 들었다. 온몸에는 닭살이 돋아나기 시작하고 머릿속이 고장 난 것처럼 멈춰버렸다. 지하철이 이렇게 두려움을 느낄 수 있는 장소가 될 수 있다는 것이 놀랍고도 무서웠다. 스릴러 영화 속 주인공이 된 것 같았다. 시간이 얼마나 흘렀는지도 모르겠고 도무지 생각이 정리되지 않았다. 등 뒤로 흐르는 땀줄기가 선명하게 느껴졌다. 선선한 날씨의 여름이었지만 옷은 점점 축축하게 젖고 있었다.

'이렇게 계속 가면 어떻게 되는 걸까?'

그때 '끼이이익' 큰 소리를 내며 지하철이 정차했다. 두 번째 역에 도착한 것 같았다. 타고 내리는 사람이 없어서 지하철의 공기는 처음 그대로였다. 정차 후 문이 닫히려는 순간 나는 온몸에 힘을 쥐어짜서 본능적으로 달렸다. 어떻게 했는지 기억도 나지 않았다. 뒤통수 가까이 바로 뒤로 문이 닫히는 소리가 났고 모든 일은 눈 깜짝할 사이에 일어났다. 나는 지하철 문밖에 서있었다. 방심하다 먹이를 놓친 포식자들은 창문 밖으로 날 바라보며 알아듣지 못할 욕설과 삿대질을 해댔다. 처음으로 그들과 정면으로 눈이 마주친 순간 섬뜩한 두려움과 함께 안도감도 찾아왔다. 매서운 눈빛과 퀭한 안색이 보통의 소매치기 무리처럼 보이지 않았다. 그들은 원치 않았겠지만 먹이는 달아났고 지하철은 이미 저만치 멀어져 가고 있었다. 지하철이 사라진 어두운 터널을 얼마나 바라봤는지 모르겠다. 꽁꽁 묶어놨던 밧줄이 끊어지듯이 온몸에 힘이 뚝 풀려버렸다. 그대로 시커먼 바닥에 주저 않았다. 이 역은 너무 어두웠다. 전구의 반 이상이 꺼져있었고 벽에는 녹슨 파이프들이 가득했다. 마치 시간이 멈춘 곳 같았다. 주변을 돌아보니 사람은 찾아볼 수 없었고 폐허가 된 것 같은 역에 혼자였다. 서늘한 공포와 적막감이 나를 감싸왔다.

비슷하지만 또 다른 적막감을 한국에서도 느꼈다. 회색의 적막감

속에서 혼자 있었던 시간들을 머릿속에서 다 잊고 싶었다. 그곳은 사람들의 열기가 넘쳐났지만 내 편은 한 명도 없는 것 같았다. 근무했던 팀은 뿔뿔이 흩어졌고 알아서 타 부서로 잘 흡수되어야 하는 상황이었다. 새로 만난 부장님은 나를 취조하듯 몰아붙이며 기존 업무들을 물어봤다. 취조실은 사무실 통로 옆 통유리로 된 회색 공간이다. 무채색의 딱딱한 그곳은 나의 에너지를 잡아먹는 공간이었다. 구조조정으로 인해 다양한 업무가 섞이고 바뀌면서 근무했던 팀의 누군가도 한 명은 팀장 직책에 올라야 그림이 조화로웠다. 기존 팀의 부장, 팀장들은 구조조정을 미리 알고 있었던 것처럼 일찌감치 다른 부서로 이동하거나 이직한 상태였다. 업무 평가로 매겨진 점수에 따라 팀장은 내가 될 수밖에 없는 상황이었다. 그리고 그렇게 될 것이라고 인사팀에서도 귀띔해 주었다. 하지만 새로운 부장님은 자신의 부하직원을 팀장 자리에 앉히고 싶어 하는 눈치였다. 그리고 그런 의도를 숨기지도 않았다. 생각지도 못한 상황에 오히려 당황한 사람은 나였다. 겉으로는 아무렇지 않은척하고 있었지만 속으로는 불안했다. 어떻게 해야 할지 갈피를 잡지 못했고, 직설적으로 물어볼 용기도 없는 스스로가 한심하기도 했다. 부장님은 나와 업무 회의를 할 때마다 부하직원을 대동하며 잘 이해하고 배우라고 이야기해 주었다. 마치 내가 곧 없어질 사람처럼 말이다. 나에게는 기존에 했던 일들을 쉽게 순서대로 정리해서 모두 공유 파일에 올리라고 했다. 누구라도 그 문서를 보면 일을 처리할 수 있게 만들라고 지시했다. 내가 없어도 일이 돌아갈 수 있도록 미리 대비해놓는 듯한 느낌이 들었다. 웃으며 이야기하지만 눈빛은 차가웠다. 말투는 다정했지만 나의 존재를 지우려는 것처럼 느껴졌다. 지속되는 무리한 요구, 거듭되는 비슷한 질문, 획기적인 결과만 원하는 표정. 반복되던 요구사항을 듣던 어느 순간 주변의 소리가 들리지 않았다. 부장님이 나를 보며 입을 뻥긋뻥긋하고 있는데 그에게서 나온 소리가 공중에 분해되어 사라져버렸다. 나도 그 자리에서 사라져 없어져 버리고 싶었다.

나에게 첫 회사는 높이가 보이지 않을 만큼 큰 산 같은 곳이었다. 장애물도 많았고 오르기도 힘들었지만 열심히 하면 된다는 것을 경험하게 해주기도 했다. 잘 올라가고 있었다고 생각했다. 하지만 몇 년간 올라가던 길도 의도치 않게 하루 만에 곤두박질쳐 떨어질 수 있었다. 또, 열심히 만으로 안 되는 것이 있다는 것도 알았다. 나는 다른 직원들에 비해 나이가 어린 편이었고 대부분 나보다 연장자들이었다. 말을 놓고 편하게 지내고 싶어 하는 사람들이 많았지만 업무에 지장이 있을 것 같아 허용하지 않았다. 내가 팀장으로 승진한다는 소문이 돌자 축하보다는 예상치도 못한 말로 비수를 꽂는 사람들이 많아졌다. 칭찬을 가장하며 헛소문을 만들어내는 사람도 생겨났다. 웃는 얼굴 뒤로 다른 생각을 하는 건 아닐까 싶어 점점 주변을 믿기 힘들어졌다. 어느 순간 사람들의 말도 귀에 잘 들어오지 않았다. 아니, 듣고 싶지 않았던 것이 더 맞았을 것 같다. 누군가가 말을 걸어도 거의 대답을 안 했다. 사람들 속에 있는 것이 싫었다. 출근 시간이 다가오면 괴롭고 두려워졌다. 사회생활이 처음이었던 나는 맡은 일을 열심히 하는 것밖에 몰랐다. 열심히 하니까 업무 평가가 잘 나와서 좋았다. 그래서 더 열심히 했다. 하지만 회사에서는 일 이외에도 다양한 것들을 잘 해야 했고, 모든 상황은 내가 버틸 수 있는 크기를 넘어서버렸다. 그렇게 버티고 버티다 결국 와르르 무너지고 말았다. 큰 산 같았던 곳이 이제는 숨통을 조여오는 무덤 속 같았다. 내가 살려면 나를 부정하는 듯한 이곳에는 더 이상 있을 수가 없었다.

익숙한 환경을 벗어나고 싶었다. 그렇게 도망치 듯 떠났다. 이탈리아에서 보름을 보내고 설레는 마음으로 스페인에 도착한 날 공항에서 소매치기 무리를 만났다. 환승하는 지하철까지 따라오며 나는 포식자들의 사냥감으로 점 찍혔다. 처음 느껴보는 공포와 두려움이 나를 휘감았다. 지하철 문이 닫히는 짧은 순간에 큰 캐리어를 낚아채 필사적으로 도망쳤다. 지구 반대편에 와서도 사람에게 시달리며 위협받고 있다고 생각하니까 헛웃음이 나왔다. 순간 주위를 지나치는 사람들과 옷깃조차도 스치고 싶지 않다는 기분이 들었다. 여행을 하면 낭만적인 일들이 가득할 것이라 꿈꾸었지만 현실은 기대와 거리가 멀었다. 마음속의 여유도 점점 사라져가고 있었다. 정신줄을 잘 잡지 않으면 이대로 무더운 날씨 속에 아이스크림처럼 녹아내릴 것 같았다.

숙소만 예약하고 백지상태로 마지막 목적지인 마드리드에 도착했다. 한 달 정도로 계획한 여행이라 마지막 목적지에서는 아무런 계획을 세우지 못했다. 아는 것은 딱 하나, 스페인의 수도라는 것이다. 날씨는 무더웠지만 길거리와 골목의 야외 테이블에는 사람들이 가득했다. 광장에는 많은 사람들이 앉아서 휴식을 취하고 있었다. 뜨거운 태양이 꼭대기에서 내려다보고 있지만 사람들은 태양빛을 즐기고 있었다. 건너편에 보이는 공원에서는 선탠을 즐기며 독서하는 사람들이 많았다. 네모난 아이보리색 타일로 이루어진 도보 옆으로는 흰색과 노란색 그리고 황토색으로 칠해진 건물이 빼곡했고, 대략 7-8층 정도의 높이로 크지도 작지도 않게 줄을 맞추어 있었다. 건물은 가지런히 나열되어 있었지만 창문의 양식들은 비슷한 듯 모두 달랐다. 얼핏 보면 네모난 창문 같지만 자세히 보면 모두 다 달랐다. 대체로 세로로 긴 형태의 창문들은 아치형 모양의 금색 테두리도 있었고, 갈색, 회색, 흰색 등 다양한 색상이었다. 건물의 개성을 뽐낸 것 같은 창문들을 구경하는 것도 재미있었다. 우리나라 도시에는 아파트와 높은 건물이 많다면 마드리드는 낮고 탄탄한 건물이 세월을 이야기해 주는 느낌이었다. 수도 다운 위풍당당하고 활기찬 마드리드의 모습이 좋았다. 그 안으로 흡수되면 나도 활기차게 될 것 같은 기분도 들어 주위를 둘러보았다. 황갈색 벽돌로 쌓은 건물이 세 면을 둘러싸고 있는 마요르 광장 주변에 레스토랑과 카페가 보였다. 한가해 보이는 카페의 야외 테이블에 자리 잡고 앉았다. 목이 탔던 나는 오렌지주스를 마시며 예약한 숙소 위치를 체크했다. 찾아가는 길이 어려워 보이지는 않았다. 하지만 크고 무거운 캐리어를 들고 계속해서 이동하는 일에 점점 지쳐가고 있었다. 그때 광장 앞으로 한국인 무리가 지나가며 말했다.

"어, 한국인이다!"

분명 나에게 한 말 같았지만 잠깐 눈빛을 주고 반응하지 않았다. 만약 조금 가까이 다가와서 물어봤다면 말을 했을 것 같다. 그런데 지나

가면서 말을 던지는 사람에게까지 구태여 대답하고 싶지 않았다. 주스를 다 마시고 나니 아까 너무 싸늘한 표정을 지은 것 같아 마음이 쓰였다. 하지만 어차피 다시 만날 일도 없고, 한국인이 아니라고 생각했을 것 같아 더 이상 마음 쓰지 않기로 했다. 오후의 포근한 빛이 감싸는 마요르 광장을 바라보니 내 마음도 안정되는 것 같았다. 여행 막바지가 되고 나서야 나에게 정말 필요한 것은 따뜻한 사람들과의 건강한 교류라는 것을 어렴풋이 알게 되었다. 혼자 하는 여행은 고독한 시간을 잘 견뎌낼 수 있는 힘이 필요했다. 일어나서 잠들기 직전까지 모든 것을 혼자 결정해야 한다. 낯선 도시에서 살피고 적응할 시간도 없이 바로 움직여야 했다. 좋은 건지 별로인 건지, 맞는 건지 틀린 건지 생각할 겨를도 없었다. 정신없이 하루를 보내면 힘들었던 생각이 나진 않았지만 현재를 온전히 즐기지 못한다는 것은 알 수 있었다. 그저 떠나온 시간을 허투루 쓰지 않기 위해서 쉬지 않고 부단히 움직이고 있었다. 어떤 날은 하루에 말을 거의 하지 않은 날도 있었다. 이런 시간들이 지속되다 보니 여행 도중에도 또 다른 적막감을 느끼게 되었다. 이탈리아 피렌체의 미켈란젤로 언덕 위에서 연보랏빛 노을을 바라보며 처음으로 이 순간을 누구와 함께 나누고 싶다는 생각이 들었다. 언덕 위에는 로맨틱한 노을을 보기 위해 많은 사람들이 모여 있었다. 대부분 친구, 가족, 연인으로 보였고 혼자인 사람은 나뿐인 것 같았다. 버스킹을 하는 사람들의 음악 소리와 이야기 소리가 웅성웅성 들려왔다. 간단한 스낵과 음료를 파는 곳에도 즐거운 표정의 사람들로 붐비고 있었다. 행복한 한때는 보내는 그들을 바라보며 나도 모르게 마음 한곳이 텅 빈 것처럼 허전함을 느꼈다. 비어있던 의자에 앉아 눈앞에 펼쳐진 연보랏빛의 노을을 바라보니 황홀한 기분이 들었다. 하지만 혼자 느끼는 좋거나 행복한 감정은 지속 시간이 길지 못했다. 좋은 시간을 누군가와 함께하거나 경험하면서 추억이라는 이름이 완성되지만 나는 내내 혼자였다. 좋은 감정을 느끼는 순간조차도 한편에는 외로움이 옷 끄트머리를 잡고 곁에 머무는 것 같았다. 숙소로 돌아오는 버스 정류장을 착각해서 버스를 한 시간 동안 기다렸을 때는 실체 없는 누군가를 향해 화가 난 적도 있다. 술이 한잔하고 싶었지만 큰 테이블이 부담스러워 들어가지 못한 레스토랑을 보며 괜스레 짜증이 나기도 했다. 평소에 혼자 돌아다니는 것을 좋아했기 때문에 여행에서 혼자라는 것은 전혀 걱정되었던 부분이 아니었다. 더구나 사람에게 질려 떠나온 여행에서 혼자는 오히려 좋다고 생각했다. 그래서 중간중간 다양한 사람들을 만날 수 있었지만 누군가 다가오려 하면 내 쪽에서 먼저 선을 그으며 스스로를 고립시켰다. 이탈리아 로마에서 만났던 시티 투어 가이드는 오랜 타지 생활에 지쳐 요즘 한국의 이야기를 궁금해했다. 혼자 온 나를 챙겨주며 자연스럽게 말을 많이 걸었지만 오히려 가이드를 피해 무리 끝에 가있거나 숨어버리기도 했다. 아무리 멋진 여행지라도 계속해서 고독하게 다니는 것은 즐겁다고 느껴지지 않았다. 한국말을 한마디도 하지 않은 날에는 한국에 있는 가족들에게 전화를 걸어 꼭 통화를 했다. 가족들에게 나는 잘 있고 즐겁게 있다는 소식을 전하면서 내일은 정말로 즐거워지겠다고 다짐했다.

'나 여기서 뭐 하는 거지? 그냥 한국으로 돌아갈까?'

생각만 수십 번은 했던 것 같다. 하루는 호텔에서 짐을 정리하다 비상금으로 가지고 다니던 현금이 없어졌다는 것을 알았다. 회사를 그만두며 퇴직금을 받았기 때문에 쇼핑도 할 계획이었다. 혹시 모를 소매치기를 조심하기 위해서 돈만 따로 천지갑에 넣어 보관했다. 그런데 밖에서 소매치기를 당한 건지 돈을 꺼내다 어디서 떨어뜨렸는지 호텔에서 없어진 건지 도저히 알 수가 없었다. 그렇게 유난을 떨었는데 돈을 통째로 잊어버리니 실체 없는 어디론가 향하던 짜증이 정확히 나 자신에게 꽂혔다. 스스로 한심하다 느끼고 화가 나는 순간 창문에서 들어오는 시원한 저녁 바람이 거슬렸다. 창문을 닫으려는데 뻑뻑해서 잘 닫히지 않았다. 창문까지 미울 지경이었다. 힘을 써서 창문을 세게 닫다가 순간 창틀에 손가락이 꼈다. 소리가 입 밖으로 나오지도 않을 만큼 아팠다. 검지를 보니 손톱 반이 깨져서 덜렁거리며 피가 나고 있었다. 피가 줄줄 나는 손톱을 보며 그냥 주저앉아 엉엉 울었다.

'아니, 왜 손톱까지 이러는 거야!'

순간 깨진 손톱을 원망했다. 목놓아 울어버릴 정도까진 아니었는데 깨진 손톱을 핑계 삼아 크게 울고 나니 이상하게 마음이 한결 나아졌다. 카운터의 직원은 눈물 범벅이 되어 손에 피를 흘리는 나를 보며 소스라치게 놀랐다. 급히 어딘가로 가서 커다란 구급상자를 가져왔다. 덩치만 큰 구급상자 안에서 몇 가지 들어있지 않았다. 다급히 소독을 해주고 엉성하게 밴드 세 개를 둘둘 감아주었다. 평소였다면 덕지덕지 붙어 있는 밴드를 다 띄어서 다시 붙였을거다. 하지만 그날은 그러지 않았다. 눈물에 젖은 얼굴로 몇 번이고 '그라시아스(감사합니다)'를 외치고 방으로 올라가려는 내게 호텔 직원은 보랏빛 커버의 초콜릿을 건네주었다. 초콜릿을 덥석 받을 수가 없었다. 눈물범벅의 얼굴을 보인 것이 부끄러웠던 건지 아픈 손톱을 모른척해 주지 않아서 고마움이 컸던 것인지는 모르겠다. 망설이고 있는 내게 괜찮다며 초콜릿을 쥐여준 직원의 손은 따뜻했다. 올라가는 엘리베이터 거울 속에는 퉁퉁 부은 얼굴의 내가 보였다. 그 모습이 우스꽝스러워 입가에 작은 미소가 번졌다. 창밖을 보며 앉아 초콜릿을 와그작와그작 씹어 먹었다. 초콜릿 씹는 거친 소리가 좋게 느껴졌다. 견과류가 잔뜩 들어있던 초콜릿은 여행지에 도착해서 먹었던 어떤 음식보다 달콤하고 맛있게 느껴졌다.

마드리드에 예약한 숙소는 한인 민박이었다. 숙소 위치와 찾아가는 길을 잘 체크해두었지만 갈수록 여기가 맞는지 의구심이 들었다. 대체로 한인 민박은 교통이 편리한 곳에 있는데 이곳은 현지인들이 사는 한적해 보이는 주택가였다. 온통 하얀 목조 건물로 똑같이 생긴 주택들이 줄지어 있었다. 골목은 깔끔하게 정돈되어 있었고 마당에는 집집마다 각기 다른 식물들이 심어져 있었다. 주택가 한가운데 연한 살구빛의 기다란 꽃이 피어있는 숙소 앞에 도착했다. 입구에 간판을 걸어놓지 않았다면 많이 헤맸을 것 같다.

'똑똑똑, 똑똑똑'

몇 번을 두르려도 문이 열리지 않았다.

'똑똑똑'

그제야 누군가 문을 열어주었다. 놀랍게도 마요르 광장에서 나에게 한국인이라고 말하며 지나갔던 그 사람이었다. 다시 마주친 우리는 둘 다 놀란 토끼 눈이 되었다. 이 상황이 당황스럽고 우습기도 해서 뭐라고 말하고 싶었지만 무거운 짐을 들고 있는 내가 숙소로 들어가는 일이 먼저였다. 숙소 내부는 밖에서 느껴졌던 밝은 분위기와는 전혀 달랐다. 벽과 천장 그리고 바닥까지 어두운 나무라서 동굴에 들어온 것 같았지만 공기는 열정적이고 생기 있었다. 영화 〈죽은 시인의 사회〉에서 주인공들이 자주 가던 동굴 아지트로 들어온 것 같다는 느낌이 들었다. 거실 끝에서 누군가 기타를 치며 노래를 부르고 있었다. 익숙한 노래인 김광석의 '이등병의 편지'였다. 군대에 간 친구들이 노래방에서 지겹게 불렀던 노래다. 직접 부른 적은 없었지만 가사까지 외울 정도로 많이 들었던 노래였다. 한국과 7시간이나 시차가 있는 이곳에서 들으니 굉장히 반갑고 친근하게 들려왔다.

"노래 부르는 분이 주인이에요"

숙소에서 문을 열어주고, 나를 맞아주고, 마요르 광장에서 마주쳤던 은성이 알려줬다. 심상치 않은 느낌이 드는 숙소다. 자주 있는 일처럼 숙소 주인은 노래에 심취해 있었다. 은성은 곧 저녁 식사 시간이니 짐을 풀고 빨리 내려오는 것이 좋다고 알려주었다. 그리고 캐리어를 들어준다고 낑낑거리며 계단을 올라가기 시작했다. 괜찮아요, 아니에요, 괜찮아요, 아니에요를 몇 번 반복하며 우리는 내 방이 있는 이층에 올라왔다. 아담한 방이었지만 묵었던 숙소 중에 가장 포근했다. 짐을 푸는 내내 노랫소리가 들려온다. 가사 몇 마디가 마음속에 촉촉하게 스며들고 있었다.

'집 떠나와 열차 타고 훈련소로 가는 날
부모님께 큰절하고 대문 밖을 나설 때
가슴속에 무엇인가 아쉬움이 남지만
풀 한 포기 친구 얼굴 모든 것이 새롭다
이제 다시 시작이다 젊은 날의 꿈이여'

김광석 - 이등병의 편지

잠들기 전 자장가를 들으면 마음이 편안해지는 것처럼 마음이 안정되고 몽글몽글해졌다. 여행의 마지막 도시였지만 끝이 아니라 시작일 거라는 묘한 희망까지 주는 것 같았다. 식사를 하러 내려가니 예상보다 많은 사람들이 모여 있었다. 대부분 장기 투숙객이었고 모두들 친해 보였다. 다들 활발하고 적극적이라는 느낌이 들었다. 어색한 공기를 느끼며 긴 테이블의 제일 끝으로 가서 구석에 자리 잡고 앉았다. 잠시 후 이곳에서 그나마 익숙한 목소리가 들려왔다. 은성이었다. 차분해 보이지만 유쾌하게 대화를 이끌어가는 은성은 숙소의 분위기 메이커였다. 모든 사람들과 한 마디씩 주고받으며 분위기를 한껏 끌어올리는 힘이 있었다. 은성의 목소리가 점점 가까워 오더니 내 앞에 앉아서도 계속 이야기를 했다. 일부러 테이블 끝까지 들어와서 내 앞에 앉아준 것 같은 느낌이 들었다. 나보다 한 살이 많았던 은성은 따뜻하고 다정한 사람이었다. 식사를 시작하며 마요르 광장에 왜 혼자 앉아 있었냐고 나에게 물어보았다. 숙소 위치를 몰라서 카페에 앉아 찾아봤다고 대답했다. 내가 더 일찍 숙소에 도착했으면 마요르 광장에 함께

갔을 거라며 진심으로 아쉬워했다. 은성의 말을 들은 채도 안 했던 광장에서의 내 모습이 부끄러웠다. 이런 내 마음을 아는 건지 은성은 내게 쉴 새 없이 말을 시켰다. 미안한 마음도 있었던 나는 열심히 질문을 듣고 대답했다.

"이탈리아에서 보름 정도 있다가 스페인으로 왔어요. 바르셀로나에 있다가 마드리드로 왔고 여기가 여행에서는 마지막 도시예요. 제일 좋았던 곳은 사실 잘 모르겠어요. 그냥 다 좋았던 것 같아요. 저는 계속 혼자 다녔어요."

테이블이 좁아서 모르는 사람과도 따닥따닥 붙어 있는 상황이었지만 그 분위기가 싫지는 않았다. 어느 순간 미안함에 의무적으로 하는 대답이 아니라 즐거운 마음으로 나의 이야기를 하고 있었다. 자연스럽게 주변과도 어우러지며 은성을 비롯한 주변 사람들과도 교류하게 되었다. 지금 이 순간을 위해 여행하며 말을 아꼈던 사람처럼 나는 짧은 시간에 신나서 내 이야기를 하고 있었다. 그리고 은성과 마드리드에 있는 동안 함께 여행을 하기로 했다. 숙소에 들어온 지 한 시간이 채 지나지 않았지만 나는 그동안의 여행지에서와는 다른 모습으로 변해 있었다. 오히려 은성에게 함께하게 돼서 좋다는 기쁨을 마음도 전하고 있었다. 내 속에는 내가 너무도 많았다. 은성에 대한 미안함과 고마움이 합쳐지면서 마음속에 높게 쌓아 올렸던 성벽이 한순간 무너져 내린 것 같았다. 이렇게 쉽게 무너질 수 있다니 놀라운 동시에 허탈한 기분도 들었다. 여행 내내 가시를 세우며 다녔던 모습이 굉장히 옛날 일처럼 느껴졌다. 방으로 돌아와 침대에 누우니 설레고 편안한 마음이었다. 도망치듯 떠나왔던 외면하고 싶었던 순간의 조각을 조심스레 떠올려보았다. 퇴사한 회사에서 누군가에게는 힘이 되는 말을 듣고 싶었다. 그랬다면 아직도 그곳에 있었을 것 같다는 생각이 들었다. 그렇게 처음으로 힘들었던 순간과 정면으로 마주 섰고 처음 드는 낯선 생각들을 다이어리에 적어보았다.

'누군가 나에게 필요한 사람이라고 하면 내가 필요한 사람이 되는 걸까? 그렇지 않다면 나는 필요 없는 사람인가? 그것을 정하는 사람은 무슨 기준을 갖고 있는 걸까? 그 사람의 기준이 틀렸다면?'

흐르듯 갈겨쓴 글씨였지만 생각은 정확하게 정리되고 있었다. 중요했던 것은 나 자신인데 주변 말에 휘둘려 정작 나는 완전히 뒷전이었다는 것을 알았다. 갑자기 내가 바보가 된 것 같은 기분이었다. 힘들었던 지난 순간을 마주했던 그날 밤 꿈에서는 어디인지는 모르겠지만 나는 정말 행복한 여행을 하고 있었다.

다음날 숙소 사람들과 함께 투우장에 갔다. 마드리드에 오면 투우장은 꼭 가봐야 한다며 은성에게 끌려갔다. 투우장은 내가 전혀 상상하지 못했던 분위기였다. 운동 경기장처럼 큰 규모였고 돌로 지어진 동그란 모양의 오래된 건물이었다. 양옆 사람과 어깨가 맞닿는 것은 기본일 만큼 사람들이 빼곡했다. 일행을 놓치고 사람 파도에 휩쓸리면 길을 잃을 것만 같았다. 자리는 좁고 딱딱하고 불편했으며 주변은 굉장히 시끄러웠다. 여기저기 피어나는 담배 냄새는 맡기 힘들었고, 사람들의 땀 냄새와 음식 냄새가 섞여 코끝을 자극했다. 옆에 있는 은성도 편해 보이지는 않았다. 안절부절못하던 그 사이 무대에는 잘 차

려입은 투우사가 나타났다. 하얀색 천에 금빛 단추와 테두리가 둘러진 제복을 입고 짙은 자줏빛 검붉은 커다란 천을 펄럭이는 퍼포먼스를 보여줬다. 도톰한 질감의 검붉은 천은 투우사의 연주대로 각이 잡혀 멋있게 펄럭였다. 각 잡히며 펄럭이는 천과 바닥에 미세하게 깔려 있던 모래가 함께 휘날리는 모습은 마법을 보는 것 같았다. 그때 어디선가 흰색에 갈색 반점이 있는 커다란 소가 달려 나왔다. 소가 나오자 사람들은 환호하기 시작했다. 성인 남성보다도 훨씬 큰 덩치였다. 커다란 소는 투우사에게 놀라울 정도의 속도로 돌진하기 시작했다. 아슬아슬하게 한 뼘 차이로 천을 이용해 이리저리 피하는 투우쇼가 계속되었다. 관객들은 환호하고 즐거워했다. 그러나 투우쇼는 어느 순간 살육전으로 바뀌고 있었다. 이제는 휘날리는 천과 긴 창으로 달리는 소를 찌르기 시작했다. 소가 죽을 때까지 창으로 찔러서 죽이는 줄은 꿈에도 몰랐다. 그걸 보며 환호하는 사람들 속에서 너무 혼란스러웠다. 류시화 시인의 책에서 케렌시아(Querencia)라는 단어에 대해 읽은 적이 있었다. 투우장의 소가 마지막 일전을 앞두고 잠시 쉴 수 있게 마련한 공간의 의미를 알고 조금 안쓰러웠던 기억이 난다. 책을 읽을 때도 잠시 멈추어 나의 케렌시아에 대해 생각했었다. 당시에는 맛집을 찾아다니거나 캠핑을 하며 자연 속에 있는 것이 쉼이라고 생각했다. 잘 쉬며 충전했구나 싶었다. 그런데 실제로 쉼을 가진 후 죽임을 당하는 소를 눈앞에서 본다는 것이 비현실적으로 다가왔다. 케렌시아에서 쉬긴 했을까 싶은 생각이 들었고 더 이상 그 자리에 있기가 힘들었다. 환호하는 사람들에 속에서 소의 마지막을 보고 싶지 않았다. 옆

자리에 은성 역시도 놀란 표정이었다. 우리는 서로 나가고 싶다는 눈빛을 교환했고 짐을 챙기자 뒷좌석에 있던 두 명도 함께 따라나섰다. 서둘러 투우장을 벗어나 상쾌한 공기를 마시며 거리를 걸었다. 함께 나온 개성 있고 자유분방했던 동생 은미는 투우쇼는 없어져야 한다며 열변을 토했다. 어디로 걷고 있는지는 모르겠지만 그들과 함께라서 불안하지 않았다. 걷다 보니 투우장에서 놀랐던 마음이 점점 진정되고 있었다. 여행을 하면서 지구 반대편에 와있다는 사실이 이질감이 들었었다. 그런데 그날은 그곳에 있다는 사실이 좋았다.

"이 근처에 진짜 맛있는 츄러스 집 있어!"

은성의 말을 듣고 갑자기 생각이 났다. 한국에서 계획을 세울 때 스페인에 가면 츄러스를 먹고 싶어 했다는 것도 여태 잊고 있었다. 끝까지 깜빡하고 돌아갔다면 후회가 남았을 것이다. 츄러스 집으로 인도해 준 은성에게 쌓인 고마움은 더 이상 셀 수가 없었다. 찾아간 츄러스 맛집은 여유로웠다. 날씨도 우리를 환영해 주는 것 같았다. 뜨겁지만 습하지 않았고 기분 좋은 선선한 바람이 불고 있어 야외 테이블에 자리를 잡고 앉았다. 참새 두 마리가 테이블과 바닥 사이를 왔다 갔다 하고 그 사이로 우리의 웃음 섞인 말소리가 번져나갔다. 갓 구워져 나온 츄러스가 고소한 냄새로 우리를 반기며 노란 접시에 담겨 나왔다. 진득한 농도의 코코아를 듬뿍 찍어 한입 베어먹은 츄러스는 눈이 커질 만큼 꿀맛이었다. 그날 우리는 츄러스를 먹으며 한국에서 안고 있던 고민들을 자연스럽게 이야기했고 서로를 격려해 주었다.

"나는 회사 그만두고 도망 왔어. 회사가 좋았고, 인정받고 싶었는데 부정 받은 것 같아서 힘들고 슬펐어."

생각보다 덤덤하게 말이 나왔다. 회사를 그만두며 정확하게 무엇이 그렇게 슬프고 화나고 속상했는지 내 마음을 알 수가 없었다. 그래서 더 힘들었다. 그런데 왜 그런 감정을 느꼈었는지 나도 모르는 순간 스스로 말하고 있었다. 두꺼운 포장지로 꽁꽁 싸매놨던 마음이 풀어지며 여유가 생겨나고 점점 웃음이 많아졌다. 여행 메이트들을 만나고 여행지에서 사진도 늘어났다. 대부분 풍경 사진이나 혼자 찍은 셀카 몇 장이 다였던 휴대폰에 누군가 나를 찍어준 사진 그리고 함께 찍은 사진들이 생겼다. 공원에 있는 호수 앞에서 은성과 점프하며 찍었던 사진을 보니 엉망진창이라 웃음이 나왔다. 제대로 점프한 사진은 없고 엉거주춤 우스꽝스러운 자세였지만 파란 하늘과 초록 공원에서의 그날은 절대로 잊을 수 없는 소중한 시간이었다.

매주 금요일 저녁에는 숙소의 와인파티가 있는 날이라고 했다. 여행 메이트들과 아침부터 저녁까지 정말 열심히 돌아다녔다. 저녁 먹은 후에는 내일의 계획을 잠깐 이야기하고 각자 방으로 돌아가 바로 곯아떨어져 버렸다. 마드리드에서 처음 갖는 와인파티는 유럽에서 나의 마지막 날 밤이기도 했다. 술을 즐기는 편이라서 여행 내내 술고래가 되면 어떡하나 한국에서 미리 걱정도 했었다. 그런데 여행을 하면서 알았다. 술도 마음 맞는 사람들과 즐겁게 대화하면서 먹어야 맛있다는 것을 말이다.

이탈리아 베네치아에 있을 때 와인을 마시고 싶었던 적이 있었다. 이탈리아나 스페인산 와인은 저렴하다던데 한 번도 마셔보지 못했던 것이다. 베네치아에 있던 그날은 혼자라도 꼭 와인을 마시겠다고 결심했다. 주말이라 오후에 퍼레이드가 있었다. 빨간 멜빵 치마를 입고 다양한 악기들로 멋진 연주를 하며 베네치아 골목 사이사이를 행진하는 퍼레이드를 따라다녔다. 산마르코 대성당을 시작으로 리알토 다리를 거쳐 베네치아 역까지 주요 관광지를 쭉 돈다고 해서 많은 관광객들이 행렬을 따라다니며 즐기고 있었다. 처음 시작했던 산 마르코 성당 앞에서 공식 적으로 행사가 끝난 후에 역 쪽으로 가기 위해 골목으로 들어섰다. 몇 걸음 걷다가 뒤를 돌아보니 그 많던 사람들이 바닥으로 흡수되어 버리기라도 한 것처럼 순식간에 사라졌다. 길을 잘 안다고 생각하고 골목으로 들어섰는데 오히려 반대 방향으로 갔던 것 같다. 시간은 생각보다 늦어졌고 빛이 사라진 골목은 내가 알던 낮의 아름답던 베네치아의 분위기가 아니었다. 좁은 뒷골목은 오랜 역사가 느껴지는 거칠고 서늘한 모습이었다. 미로에 들어선 것처럼 돌고 또 돌아도 큰 길은 나오지 않았다. 우리나라 동화에 산에서 도깨비를 만나면 갔던 길을 계속 돈다고 하던데 딱 그런 기분이었다. 아무리 가도 길이 나오지 않자 무섭고 막막한 기분이 들면서 눈물이 핑 고이기 시작했다. 한숨을 쉬며 오만상을 쓰고 있던 그때였다.

"레드 체리? 레드 체리?"

외국인 여성의 목소리가 들렸다. 날 부르는 소리인 것 같아서 뒤를 돌아보니 낮에 젤라또 집에서 만났던 커플이 있었다. 나는 빨간 체리가 도배된 티셔츠를 입고 있었고 여성분은 빨간색 체리 원피스를 입고 있어서 마주치고 서로 '체리'하며 웃었던 기억이 난다. 하늘에서

천사가 내려온다면 이런 기분일 것 같았다. 옷 때문에 뒷모습만 보고 알아봤고 역으로 가는 거면 자신들을 따라오라고 했다. 딱 봐도 길을 잃은 사람처럼 보였나 보다. 고맙다고, 혼자서 너무 무서웠다고 말하고 싶었는데 그러기엔 나의 영어 실력이 아쉬웠다. 세 걸음 정도 뒤에서 종종걸음으로 커플을 따라가다 보니 낯익은 큰 길이 나왔고 다시 사람들이 많아졌다. 눈앞에 문을 닫으려고 정리 중인 와인 가게가 보였다. 어두운 뒷골목에서 나를 구원해 준 커플에게 고마움의 마음을 표시하고 싶었다. 그리고 오늘 와인을 마시기로 결심했는데 가게들이 문을 닫으면 곤란하기도 했다. 커플에게 전해줄 좋아 보이는 와인 한 병과 내가 마실 저렴한 가격표가 붙어 있는 와인 한 병을 사서 나왔다. 와인을 안고 달려가서 전해 주니 오히려 고맙다며 나를 안아주고 헤어졌다. 와인을 마실 장소를 찾다가 베네치아 역 앞에 바다가 보이는 계단에 앉았다. 무서웠고, 안심되고, 지금은 조금씩 즐거워지고 생각이 많았는데 함께 나눌 사람이 없었다. 머뭇거리던 입 밖으로 소리 내어 말해보았다.

"너 무서웠지."

이제 괜찮다고 스스로에게 말하며 목소리를 듣는 순간 이상한 기분이 들었다. 그러면서도 안심이 되기도 했다. 해가 거의 다 져버린 검붉은 하늘을 바라보다가 와인을 열었다. 급하게 와인을 사는 순간에도 와인 오프너가 없으면 코르크 뚜껑을 열 수 없으니 트위스트 뚜껑인지 확인하고 구매한 나를 셀프 칭찬했다. 와인 잔도 없고 테이블도 없었다. 계단 돌바닥에 앉아 찬 기운이 엉덩이로 올라오고 있었지만 괜찮았다. 유럽에 와서 한국에서도 안 해본 와인 병나발을 불어볼 줄은 몰랐다. 와인은 내 취향에 잘 맞는 맛이었다. 아름다운 베네치아의 석양을 보며 열심히 와인 병나발을 불었다.

베네치아의 와인 병나발 이후 여행 마지막 날 와인 파티에는 많은 사람들과 함께할 수 있었다. 숙소 주인은 기타 연주와 함께 스페인 노래를 불렀다. 신나고 경쾌한 알 수 없는 노래였다. 여행 메이트들과도 마지막 인사를 나눴다. 은성은 한 주 더 스페인에 남아있고, 은미는 내가 먼저 여행하고 왔던 이탈리아로 간다고 해서 알고 있던 정보를 최대한 전해주기도 했다. 따뜻하고 성향도 잘 맞았던 은성과 스페인에 더 있고 싶기도 했다. 하지만 이제는 한국으로 돌아갈 수 있는 마음의 힘이 생겼다는 것이 느껴졌다. 가까운 사이가 된 우리는 한국에서의 만남도 약속을 하며 연락처를 교환했다. 정신없는 시간들이 지나고 하나둘씩 방으로 돌아갔다. 피곤했지만 유럽의 마지막 밤이라 일찍 들어가고 싶지 않았다. 옆자리에 앉아 있던 숙소 주인은 조용한 선율의 기타 연주를 했다. 연주가 끝나고 숙소 주인과 계획에도 없던 이런저런 대화를 했다. 검게 태닝 된 듯한 피부에 장발의 곱슬머리를 하고 있던 숙소 주인은 자유분방한 영혼처럼 보여서 선뜻 대화하기가 부담스러웠다. 하지만 원래 알고 지내던 사이처럼 편안하게 대화를 이끌어갔다.

"원래 그런 일들이 어릴 때 한 번씩 생겨. 크게 데이면 그만큼 내가 성장할 수도 있어. 그래서 잘 한 결정인 것 같아?"

회사를 그만둔 것이 잘했냐는 것인지 도망치 듯 여행 온 것이 잘했

냐고 묻는 것인지는 모르겠지만 질문에 바로 대답할 수가 없었다. 내가 잘했는지 못했는지는 생각해 본 적이 없었는데 나도 모르게 순간 대답이 튀어나가 버렸다.

"잘 한 것 같아요."

"잘 한 사람 얼굴이 왜 그래? 내가 잘한 거면 된 거야. 그리고 지금 너무 잘하면 나중에 할 것이 없어."

말을 마친 숙소 주인은 다시 기타 연주를 시작했다. 내 입에서 그런 대답이 나올 줄은 몰랐지만 적어도 이곳에 있는 사람들은 모두 내 편인 것 같아서 마음이 꽉 찬 느낌이었다. 늦은 밤 숙소 주인은 인순이의 '밤이면 밤마다'를 신나게 연주했고 남아있던 사람들은 다 함께 개다리춤까지 추고 잠자리에 들었다.

다음날 비행기 시간 때문에 새벽 첫 버스를 타고 공항으로 가야 했다. 모두 잠든 새벽 조용히 짐을 챙겨 방에서 나왔다. 베이지색 작은 꽃무늬 커튼이 걸려 있던 아담하고 포근했던 방을 나가려니 아쉬웠다. 이곳에서 받은 따뜻한 환영과 즐거움의 여운이 아직 남아있었다. 무거운 발걸음으로 문을 열고 조용히 일 층으로 내려왔다. 현관 앞에는 숙소 주인이 앉아있었다. 가는 사람들을 원래 배웅해 준다고 말했지만 일부러 새벽에 일어난 눈치였다.

"이 동네가 안전한데 그래도 새벽에 혼자는 좀 위험해. 버스 정류장까지 데려다줄게."

나에게 큰 짐이었던 무거운 캐리어를 한 손으로 번쩍 들더니 현관 밖으로 걸어나갔다. 버스 정류장으로 걸어가는 새벽의 공기는 쌀쌀했지만 마드리드는 마지막까지도 따뜻함이 가득한 도시였다. 공항으로 가는 버스는 금방 도착했다.

"한국 가서 웃으면서 잘 살아."

투박한 인사지만 크게 미소 지으며 작별 인사를 나눴다. 버스에서 은성이 어제저녁 전해준 편지를 꺼냈다. 동글한 느낌의 글씨체로 쓰인 은성의 편지를 읽으면서 나도 모르게 웃고 있었다. 공항으로 돌아가는 길은 처음 유럽에 온 날과 마찬가지로 다시 혼자가 되었다. 하지만 이제 더 이상은 고독하거나 적막한 느낌이 들지 않았다. 마드리드는 케렌시아에 들어갔다 온 것처럼 나에게 안식처가 되어준 여행의 마지막 도시였다.

누구나 가면을 쓸 수 있다.

홍소리

홍소리   "사운드!" 중학교 때부터 직장에서까지 불리던 내 별명이었다. 학창 시
절에는 '저게 뭐야' 싶었지만 첫 직장에서도 누군가가 날 그렇게 불러
줄 때 신기했다. '몇 년이 지나도 나를 저렇게 불러주는 사람이 있구
나' 직장에서 날 그렇게 불러주는 선배가 좋았다. 뭔가 친밀함을 느꼈
다. 그런데 어느 날부터 그 별명을 못 듣게 되는 날이 생겼다. 그날부
터 나는 병들고 있다. 그리고 지금도 후회 중이다. '가면을 쓰지 말걸'
착하지 않은데 나는 왜 착한 사람인 척 보이고 싶었을까? 나는 밝은 사
람이 아닌데 왜 밝은 사람인 척 보이고 싶었을까? 이제는 그 가면을 벗
어보려 한다.

인스타그램: @sound_hong

내 안의 힘든 여정

행복했던 일을 떠올린다면 정말 간단하지만 오래 생각하게 된다.

오랜만에 만난 친구들과 그동안 못다 한 이야기를 나누는 시간, 사랑하는 애인과 기념일이 아니어도 소소하게 데이트하는 순간, 분가하며 자주 못 보는 가족들과 함께 이런저런 이야기를 하며 하는 저녁 식사, 이곳저곳 좋아하는 해외여행을 다녀온 날들, 사소하지만 일상에 녹아 있는 순간들이다.

하지만 힘들었던 일은 한 번에 떠오르고, 충격적으로 다가온다.

어느 날 내가 낯설었다.

병원에 앉아 대기하다가 옆 사람이 진료 속도가 느리다고 투덜대는 소리에 화를 내었다.

운전하다가 창문을 내리거나 문을 열고 나가 화를 내는 일이 있었다.

내 주변 사람들에게 언성을 높여 싫은 소리를 했다.

그리고 어느 순간, 내가 한 행동이 반나절 동안 기억에 없었다.

좋아하는 여행을 떠날 때마다 가야 하는 공항의 냄새가 나를 역겹게 했다.

언제부터였을까, 그날이었다. 부서 이동을 하고 얼마 안 된 그날 판독 테스트를 보고 많은 사람들 앞에서 내 기준에서는 치욕적인 말을 들었다. 판독실 사람들의 시선과 차장님 앞에서 울음을 참아보려고 해도 자꾸만 가슴 깊숙한 곳에서 뭔가가 울컥 치밀었다. 꾹 참으며 가면을 쓴 미소 띤 얼굴로 "죄송합니다…… 정말 죄송합니다……"

하던 내 모습이 떠올랐다.

나는 가면을 써서 부작용이 있었던 것이다. 이제는 그 가면을 벗어보려고 한다.

내가 처음 가면을 쓰기 시작한 건 스무 살 대학생이 되었을 때인 것 같다.

동기들과 교수님들 사이에서는 반 대표를 자처하고 조교 생활을 하면서 항상 친절한 척하면서도 동시에 내 의견으로 이끌어가 원하는 결과물을 얻었고, 그 모습은 진짜 나와는 조금 달랐다.

항상 다른 사람들의 기대에 부응하려고 했고 그래서 다른 사람들 앞에서는 내 감정을 감추곤 했다.

그때는 몰랐다. 가면을 쓰기 시작한 것인지.

졸업 후 나는 내 꿈이었던 비행기를 잃지 못하고 무조건 공항에서 일할 수 있는 일을 찾았다.

그중 공항 보안 검색요원으로 입사했다.

그때는 2018년, 내 나이 24살이었다.

그 안에 있는 사람들은 그 일을 대단하게 생각하진 않지만 나는 굉장히 자부심을 느끼며 일을 했었다. 항상 인정받고 싶어 공부도 열심히 하고 시험도 잘 보려 했다. 직장 동료와 상사에게는 항상 웃는 얼굴을 보이며 내 진짜 모습을 숨기는 데 노력을 기울였다. 그러면서 약간의 혼돈을 느꼈던 거 같다.

어느 날 여객이 너무 몰아치는 바람에 순간 약간 얼굴 찡그린 것을 본 부장님이 큰일이 난 듯 "왜 그래? 무슨 일 있었어?"라며 물어보셨다.

그때 느꼈다. '아...... 나는 이 가면을 계속 쓰고 있어야 하는구나.'

그래도 그렇게 즐겁게 출국장에서 일하던 중 몸이 안 좋아 위탁 부서로 이동을 신청하게 되었다. 그곳에선 원래 출국장에서 보던 물품이나 장비와는 다른 것들을 사용했다. 그렇기에 수화물 판독 같은 다른 업무 환경과 새로운 사람들에게 적응해야 하는 것이 나에겐 큰 과제로 다가왔다. 그 와중에 계속됐던 차장님의 장난 넘치는 농담과 테스트를 견뎌내는 것은 나를 더욱 힘들게 했다. 그럼에도 옆에 있는 사람들이 좋아서 그 가면을 벗을 수 없었다.

어느 날 차장님의 갑작스러운 부름에 테스트를 보게 되었고 그 결과, 나는 많은 사람 앞에서 보안 검색요원으로서 자질이 없는 거 아니냐는 말을 들었다. 그곳에서 나는 나오는 울음을 꾹 참으며 가면을 쓰고 미소 띤 얼굴로 죄송하다는 말을 되뇌었다.

그때의 비참함은 깊고 아팠다. 나의 존재 자체가 의미를 잃어버린 것처럼 무력한 나 자신이 보였고 세상은 회색으로 보이고 나는 늪에 빠져들어 간 듯한 느낌에 휩싸였다.

그리고 나는 며칠 뒤 알게 됐다. '아...... 나 병 들었구나......' 나에게는 가슴에 칼을 꽂는 말이었고 강렬한 비난의 화살이 되는 말이었다. 그런데 한때 내가 의지하던 사람에게 위로를 받기 위해 고민을 말해보았지만 처음 돌아온 대답은 "상사로서 충분히 할 수 있는 말 아니야?"였다. 하지만 나는 많은 사람이 보는 앞에서 내 자격에 대해 논해지고 나니 그 공간에 들어갈 수 없게 돼버렸다. 대기하거나 쉬는 시간에도 나는 대기실에 있지 못하고 30분 동안 화장실로 숨어 들어갔다. 출퇴근하면서 울고, 구토하고, 쓰러지기까지 했다. 처음에는 괜찮을 거라고 하며 방치했는데, 잠도 안 오고 어렵게 잠들어도 꿈에서 그 장면이 똑같이 나와 울면서 나를 깨웠다. 그게 반복돼 나는 고독 속으로 점점 빠져들었고 다른 사람들의 시선을 견디지 못하고 고립되어 집 근처 정신건강의학과에 갔다. 약을 먹으면서 병가를 내고 며칠 휴식을 취해도 나아지지는 않고 다시 출근해서는 공항의 3층 난간 흡연실에서 담배를 피우며 '아... 여기서 떨어지면 죽지는 않겠지?' '그래도 일반 건물 3층보다는 높아 보이는데 죽으려나?'라는 생각을 하기 시작했다, 그리곤 농약을 사고 아무렇지 않게 번개탄을 사고 있는 내 모습이 있었다.

이 고독한 여정은 나를 깊은 우울감에 빠뜨렸고 결국에는 어둠 속에서 질식하게 했다.

다니던 병원에서는 음독을 시도하려고 했기에 입원 치료를 받아야 한다며 상급병원으로의 진료를 권유하는 진료의뢰서를 써 주었다.

그때 알았다. '나 지금 큰일 난 거구나' 그제야 부모님께 알리고 보호 입원을 했다.

어둠과 빛

처음 입원한 날은 잊을 수 없다.

나는 그냥 일반 입원실에 면회만 안 되는 그런 병실인 줄 알았다. 그런데 핸드폰 하는 시간은 정해져 있고 카메라는 보호필름으로 다 가린다. 자해할 수 있는 모든 물건을 예방하기 위해 긴 끈으로 된 물건, 거울, 볼펜, 철로 된 모든 물건은 다 안됐다. 그것도 모르고 짐을 세 보따리 바리바리 싸가서 입원했다. 짐 검사를 받은 내 짐은 결국 반으로 줄고 나머지는 다시 집으로 돌아갔다. 그날 짐 검사하던 보호사 선생님은 고생을 많이 하셨을 거다. 그 와중에 제일 어이가 없었던 장면은 수건이 다 반으로 잘려 온 것이다. 내가 당황한 표정으로 이게 왜......? 라는 표정으로 바라보니 목을 조를까 봐 잘라서 준 것이다. 여기선 자살, 자해를 막기 위해 정해진 것들이 많았다. 그때는 이 수건 여러 장 잘린 게 뭐가 대수라고 엄마에게 바로 울면서 전화를 걸어 멀쩡한 수건 들이 다 잘렸다, 어떡하냐, 괜찮냐, 라며 수건 걱정을 하고 앉았었다.

입원한 날 나는 이리저리 전화하며 울었다. 처음에는 내 면접을 봐주신 부장님께 연락이 왔고 부장님의 반응은 정신병동에 들어갔다는 소식에 걱정을 해주셨고 안정을 취하고 치료를 잘 받으라고 위로의 말씀을 해주셨다. 그리고 헤어진 전 남자 친구한테도 전화가 왔다. 자기는 잘 지내니 너 나서는 데 집중하라는 말을 했다. 그 사람의 말에 진심이라고는 하나도 없이 들렸고 재수 없었다. 내가 가장 힘들 때 나를 버렸던 사람이었기 때문이다.

그리고 정말 내가 미친 사람이 된 것처럼 안정실 가서 계속 울고 안정제를 맞고 있는 모습에, '내가 진짜 미쳐서 여길 온 걸까?'라는 생각도 했다.

그곳은 모든 게 철저한 공간이었다. 커튼은 당연히 없고, 블라인드는 간호사가 리모컨으로 내려주고, 씻는 시간은 정해져 있으며 샤워기는 호스 없이 천장에 붙어있고, 사용할 수 있는 유일하게 정해진 쇠물건 숟가락, 젓가락은 밥 먹는 시간에 다 같이 모여 보호사의 감시 아닌 감시를 받으며 밥을 먹었다.

약 먹는 시간에는 플라스틱으로 된 물컵을 가지고 간호사실 앞에 줄을 서서 약을 받아먹고 입안을 검사했다.

그 과정은 순간 나의 취약성과 의존성을 떨어뜨리는 느낌이었고 더욱 심란하게 만들고, 이렇게까지 해야 하나 생각하며 회복의 길을 찾는 것이 어려웠던 거 같다.

여기는 모든 게 예정된 대로 진행되고, 활동들은 규칙에 따라 이루어지며, 각종 일정은 철저히 계획되어 있었다. 예상치 못한 감정과 혼란스러운 상황에 대해 더 불안한 감정이 들었다.

매일 울었다. 그냥 눈물이 났다. 그러다 가슴이 아파져 오며 숨쉬기 힘들어지고 정말 큰 소리로 울어버리면 안정실에 들어갔다. 내가 지금까지 살면서 참아온 눈물을 그때 다 쏟은 것 같다. 온종일 핸드폰 하면 배터리가 다 닳아 버릴까 봐 책도 읽어보고 일기도 써봤다. 정말 하루하루 시간을 보내기 위해 아침체조도 하고 숨은그림찾기, 색칠하기 모든 프로그램에 다 참여했다.

나는 그렇게 시간을 보내고 있었다.

밖에 있는 가족은 처음 입원을 준비하며 딸이 안 좋은 시도를 했다는 사실이 너무 화가 나고 속상하셔서 가만히 계실 수 없었고 그때부터 부모님께서 국민신고, 국토교통부에 민원 신청에 글을 올리셨다. 그렇게 회사에서 인사위원회가 준비되었고 마침내 말로 나를 죽음까지 몰고 간 그 사람을 직장 내 괴롭힘으로 신고할 수 있었다. 직장 내 괴롭힘으로는 끝낼 수 없어 변호사를 선임해 소송을 준비도 했다.

병원 교수님은 퇴원 날짜를 정해 두진 않으셨지만, 직장 내 괴롭힘 위원회라도 잘 끝나거나 소송이 잘 마무리되어 하나라도 해결이 돼서 마음이 조금이라도 편해졌을 때 퇴원하는 걸 권하셨다. 내 생각도 그랬다. 지금이 상태로 내가 퇴원했는데 직장 내 괴롭힘으로 인정도 못 받고 소송이고 뭐고 아무것도 안 되면, 내가 이상했던 거라는 생각이 들고 또 나는 깊은 잠을 자고 싶어 할 것 같았다.

입원 중 어느 날은 회사에서 직장 내 괴롭힘 위원회가 준비되어 병원 면회실에서 노무사에게 조사를 받게 되었다. 나는 또 그날 일을 떠올리며 내 입으로 내가 겪었던 그 지옥 같은 이야기를 해야 했다. 위원회가 열린 날은 코로나 시기로 외출이 금지되어 내가 갈 수 없어서 아빠가 대신 참석했다. 다녀오신 아빠의 말씀으로는 피해자와 피의자는 따로 조사받았다고 한다.

상대방의 얼굴은 보지 못했지만, 아빠가 나오는 찰나에 그 뒤에 들어간 단발머리의 여자가 그 여자임을 직감했다고 하셨다.

직장 내 괴롭힘 위원회는 한 달이 조금 넘는 시간이 걸렸다. 준비하는 기간 나는 병원에 항상 불안과 우울에 취해있었고 드디어 회사에서 인사위원회 결과 통보가 나왔다.

그 직장 상사는 3개월 감봉이라는 징계를 받았고 나는 '말 한마디로 사람이 죽을 뻔했는데 겨우?'라는 생각도 들었지만, 한편으로는 '저 사람이 나를 괴롭힌 건 맞았구나'라는 생각으로 잠시 위안 삼았다.

하지만 그 사람이 너무 괘씸했다. 회사에서는 직장 내 괴롭힘으로 징계도 받았고 소송이 진행됐음을 알았다면 본인도 바로 변호사 선임해서 소송을 준비할 게 아니라 나에게 진심 어린 사과 한마디를 했다면 어땠을까? 라는 생각이 들었다. 그랬다면 용서가 안 되더라도 소송은 취하하지 않았을까 싶었다.

형사와 민사소송은 경찰서도 갔다 와야 하고, 산재 신청도 해야 하고, 시간도 더 오래 걸리기 때문에 그 이후에는 퇴원하여 외래 진료를 받았다.

그런 과정들을 부모님과 같이 준비하다 보니 부모님은 내 상태에 대한 불안과 걱정이 가득한 마음을 안고 있었을 텐데도 나에게 혹시 모를 상처를 줄까 내색하지 않으신 거 같았다.

그리고 퇴원하기 전 갇혀있는 병동에서 병들어있는 나를 온전히 걱정해 주고 사랑해 주는 사람도 만났다. 그 사람은 항상 우울해하는 나를 웃겨주고 내가 잠깐 자리 비운 사이 내 인형을 숨기고 간다던가 내가 먹은 밥양을 보고 너무 먹지 않아 "이건 얼마나 먹은 거라고 적어야 해요? 두 숟가락? 다음 식사는 반 공기는 드셔야 해요."라며 걱정해 주는 듯 그런 장난을 치며 소소한 웃음을 안겨주었다. 나보다 어린 나이에도 보호사였던 그는 나에게 나이보다 더 깊은 이해와 공감을 안겨주었다. 그의 눈 속에는 내 아픔을 알 수 있는 그 무언가가 있었다. 그것은 나를 위로하고 응원하며 나를 돕는 힘이 되었다. 그는 어림에도 불구하고 아픈 나를 옆에서 지켜보며 내가 겪어온 모든 아픔을 이해하고 공감해 주었다.

늪의 여정

다 나아서 퇴원을 한 건 아니었다. 그냥 이제 깊게 잠들 생각이 줄었다는 거 그거 하나 보고 외래 진료로 바꿨다. 퇴원하고 세상으로 나와 보니 사람들의 파도가 내게 몰려와, 내 몸을 덮치는 느낌을 받았다. 숨은 쉴 수가 없었고, 누가 내 가슴을 쥐어짜고 있는 느낌이었다. 눈앞은 흐릿한 어둠이 퍼져가고, 내 주변의 모든 소리와 움직임이 미로 같이 얽혀 있어 순간 시간이 멈춘 듯한 느낌을 받았다. 나는 너무 억울했다. 그 작디작은 '말' 때문에 내 커다란 일상을 송두리째 잡아먹혔다는 생각이 들었기 때문이다. 나는 이때도 아직 나를 다 찾지 못했다.

그래서 집에서 지낼 때 나는 나쁜 생각 안 하려고 몸을 혹사했다. 아침저녁으로 운동을 하고 공부도 했다. 내가 좋아하는 여행도 많이 다녔다.

우연히 기회가 되어 나와 비슷한 아픔이 있는 동생과 일주일 동안 제주도 여행을 갔었는데, 제주도 날씨는 우리의 마음같이 비가 왔었다. 우리는 드넓은 바다와 사람 없는 카페를 찾아다니며 '우린 언제 괜찮아질까?' 생각과 언젠가는 나아질 거라는 희망적인 이야기를 하기도 했다. 일주일이라는 제주도 여행은 처음이었다. 그래서 하루 정도는 한 번쯤 가보고 싶은 한라산 등반을 해보고 싶어 동생한테 같이 가자고 했다. 하지만 동생은 9시간 동안 자기는 등반하지 못할 것 같다고 해서 하루 날 잡아 혼자 한라산 등반을 했다.

사실 나도 올라가면서 후회했다. 만약 동생과 같이 올라왔다면 "우리 그냥 내려갈래?"라는 말이 나왔을 만큼 힘들었다. 4시간이 넘는 시간 아무도 없는 산길을 혼자 올라가며 고요함을 눈에 담았다. 오랜만에 고요함이었다. 주변은 하얗고 나무와 나밖에 없었다, 등반은 힘들었지만, 몇 년간 어지러웠던 나에게 그 고요함이 나에게 잠시 쉼을 주었다. 눈에 덮인 숲부터 제주도가 다 보이는 지점까지 고요히 정상에

올랐을 때 그 순간 아마도 과거의 아픔이 조금이나마 눈에 녹아들었다는 생각에 나도 모르게 눈물이 났다. 그때 나의 시간이 조금 정상으로 돌아온 거 같았다. 그리고 또 4시간 반 하산하고 나는 오랜만에 개운함을 느꼈다.

해외여행도 다녀왔다. 베트남 다낭, 일본 오사카, 홋카이도, 하지만 갈 때마다 내가 아직 다 낫지 않았다는 것을 알았다. 공항 가는 길에 홈파져 있는 고속도로 위를 달리며 들리는 드르륵 소리, 그리고 느껴지는 공기와 냄새가 과거의 출근길을 떠올리게 해 나를 괴롭혔다.

내가 좋아하던 여행이었다. 그런데 내가 아프게 된 이후로 그 시작부터 엉망이 되었다.

직장 내 괴롭힘 인사위원회는 끝났지만, 형사와 민사소송은 시작부터 꽤 오랜 시간 걸렸다. 원래 근무지가 인천이라 인천경찰서를 다녀왔고 출발하면서부터 나는 두려움을 느꼈다. 나는 이제 그 인천이라는 그 장소 자체도 두려웠던 거다. 나는 또 경찰서에 가서 내가 당한 일을 진술해야 했고 숨을 헐떡이며 눈에서 눈물은 마르지 않은 채로 경찰서를 나왔다.

조사관님은 최선을 다해 보겠다. 하셨지만 쉽지 않을 것이라고 하셨다. 어려운 건 알았지만 기소되길 간절히 원했다. 나도 사람인지라 내가 빠진 늪을 경험시켜 주고 싶었다.

그러나 결국 나의 간절함은 통하지 않았고, 혐의가 없다며 그 사람은 기소되지 않았다.

그토록 가기 싫었던 근무지 근처 경찰서에 가 조사를 받으며 생전 처음 진술이라는 걸 해보고 조금이나마 희망을 품고 있었는데 내가 당한 일에 결과가 너무 초라했다.

그래서 나는 또 한 번의 번아웃이 왔다.

하던 모든 일을 손에서 놔버리고, 인생에 미련이 없어 약을 과다 복용하고, 다시 연탄도 사봤다. 나름대로 몸에 고통을 주고자 생전 안 해본 피어싱과 타투도 많이 했다.

그런데 나는 하나도 아프지 않았다. 그저 알 수 없는 쾌락과 더 하고 싶은 욕구만 있었다.

나는 과연 가면을 벗었을까?

하지만 나에게는 민사소송이 남아 있었다. 형사소송으로는 어려움이 있었지만, 회사에서 노무사가 조사했고 직장 내 괴롭힘으로 인정받았다. 주변 근무자에게서도 증언을 받았기에 희망이 있었다. 변호사 비용 이런 걸 다 떠나서 그 사람에게 네가 잘못한 거라는 걸 알려주고 싶었다. 다행히 민사소송은 그동안의 자료를 변호사님이 준비해주셔서 내가 따로 준비해야 할 것은 없었다. 그렇게 긴 시간을 버텨 나는 민사로 일부 승소를 했고, 그때 나는 이것을 마지막 산으로 생각했다. 모든 원인이 해결되면 병을 이겨낼 수 있을 거라고 믿었다.

그러나 세상은 그렇게 단순하지 않았다. 마치 늪에 빠진 순간 한 번

에 나올 수 없는 상황에

처한 것처럼 나도 그랬던 거다. 병을 이기기 위해 여기까지 온 내가 어디론가 사라져 버린 것 같았다. 그리고 이것이 현실임을 깨달았을 땐, 무기력은 파도처럼 밀려왔다.

그런 큰 산들을 넘기며 거의 2년 만에 나는 퇴사를 결심했다. 그동안 휴직서를 냈지만, 다시 돌아갈 순 없을 것이라 여겼다. 일상 자체도 버거운 나에게 복직이라는 건 어둠으로 들어가 다시금 나를 망가트리는 일이라 생각했기 때문이다. 그런데 하늘이 무심하게도 퇴사 후 또 하나의 산이 있었다. '실업급여' 처음 회사 측에서는 당연히 받을 수 있다고 해서 크게 신경을 안 썼다. 그래서 신청하러 갔더니 담당자분이 직장 내 괴롭힘으로써 자발적 퇴사를 하신 거라며 단순히 신청이 안 되고 증명할 서류가 필요하다 하고 계속 직장 내 괴롭힘이란 단어로 나를 또 숨 막히게 했다. 오랜만에 밖에서 울음을 터트릴 뻔한 걸 꾹 참았다. 나는 아직 거기에 얽매여 있었다. 실업급여 신청은 회사에서 받은 인사위원회 공문과 민사소송 일부승소 결과서를 준비해 어렵게 신청을 끝냈다. 요즘은 구직 활동을 하며 보내고 있다. 하지만 공황장애가 있는 만큼 다시 사회로 나가는 게 너무 두렵다.

또 요즘 들어 치료받으며 내가 낯설다는 생각이 들었다.

화를 낼 상황이 아닌데 화를 낸다거나, 전에 대화한 게 기억이 안 난다. 또 자는 동안 나는 통화한 기억이 없는데 몇 분 동안 누군가 통화를 했다던가, 나는 분명 외출 준비를 하고 부모님을 만나기로 했는데 나간 기억이 없었다. 그런데 무의식 속에 신발을 신고 밖에 나가서 부모님 차를 타고 멀쩡하게 진료를 보고 내가 필요한 서류까지 다 챙겨 왔다던가 이해되지 않는 행동을 했다. 잠의 질 역시 현저히 떨어졌다. 학생 때도 밤을 새워 본 적이 없는데 요즘에는 수면제를 먹어도 잠이 오질 않아 해를 보며 잠드는 게 일상이며, 꿈과 일상을 구분하지 못하는 일도 많아졌다.

또 그날의 기억을 지우려고 여러 가지를 배우고 있지만, 가르침을 받다 작은 실수를 하면 그때 울음을 참고 죄송하다며 가면 쓴 미소를 지었던 내가 다시 떠오르기도 한다. 때로는 일상에서 갑자기 그날의 냄새를 맡고 그 순간이 떠올라 나를 과거에서 벗어나지 못하게 만든다.

아직도 그때 그 공간 순간 찰나의 향기와 가면을 쓰고 웃던 내 모습이 나오면 갑자기 두려워진다. 하지만 나는 이제 그 착한 척 가면을 벗고 이 낯선 부작용을 이겨내고 진정한 나를 찾으려고 노력할 거다.

이 글을 적는 이유도 그 때문이다. 이제는 그 일을 이 글에 묻어 두고 언젠가는 나도 옛날에 그런 적이 있었다고 씁쓸하지만 웃으며 말할 수 있는 그런 기억으로 남기기 위해서.

'가면'
내 주위에도 쓰는 사람이 많다. 그때마다 나는 말해준다 "너 그러다 병나, 너무 네 모습을 숨기지는 마" 물론 사회생활을 해 나가려면 써야 할 때도 있겠지만, 쓸 때 안 쓸 때를 구분하며 진짜 나의 모습은 잃지 않길 바란다.

그리고 그 가면을 내 공간 내 사람과 있을 때만큼은 벗었으면 좋겠다.

고릴라 이야기

김성은

김 성 은　　　스타트업만 4번째. 동물 닉네임을 사용하던 3번째 스타트업에서 일어
난 일을 담았다. 치열하게 버텼고 처참히 무너졌기에 많은 걸 얻었다

해변으로 떠밀려온 사체마냥 축 늘어진 돌고래가 금방이라도 숨이 멎을 듯, 가느다란 숨을 내쉬었다. 그런 돌고래를, 고릴라는 우두커니 내려다보았다.

이제부터 시작하는 이야기는 스타트업에 합류할 기회를 얻은 사람들은 어느 정도 공감하리라 생각한다. 그곳에서 일하는 동안 고릴라의 모든 관심은 회사의 성장이었다. 유니콘이라는 전설의 동물에 대해 누구나 한 번쯤은 들어봤을 것이다. 스타트업 업계에서도 유니콘은 전설로 통하는데, 머리에 뿔 하나 달린 말처럼, 설립한 지 10년이 채 안 됐음에도 불구하고 10억 달러(약 1조 3,450억 원) 이상의 기업 가치를 얻게 된 회사를 뜻한다. 혹 독자 중에는 엑싯이라는 개념이 익숙한 사람이 있을지도 모른다. 스타트업이 마치 유행처럼 퍼지기 시작하면서 엑싯이라는 단어도 여기저기 쓰이기 시작했는데, 쉽게 말해 잘 일군 회사의 가치를 인정받아 다른 기업이나 경영인에게 팔아 넘기는 것이다. 첫 출근부터 이 두 개념을 마음에 품고 모두가 부러워할 만한 회사가 될 그 찬란한 순간을 꿈꾸며 회사에 스며들기 시작했다.

회사에서의 1분 1초가 아깝고 소중했다. 어느 순간부터 대한민국에 일과 삶의 균형이라고 하는 개념이 대두되기 시작했는데, 모순되게도 진정한 균형이란 균형을 따지지 않을때나 가능한 것이라 믿었다. 고릴라는 박수칠 때 떠나라는 어떤 영화 제목처럼 그 절정의 순간 멋있게 퇴장하는 모습을 꿈꾸며 서비스와 하나가 되어 몰아일체의 순간을 쌓았다. 그렇게 열심과 의욕에 도취돼 스타트업계에 피바람이 불고 세계 경제가 점점 악화하고 있다는 언론에도 '이 곳만큼은 잘될 거야'라는 묘한 자기중심적 사고에 빠졌고 허상을 즐기느라 귀로 듣고 눈으로 보아도 외면하기 시작했다.

〈투자/자금 관련〉

… 투자는 각 투자사들 날짜를 맞추다보니 기존 7일에서 26일 정도로 밀릴 것으로 봄. 자금흐름과 복지혜택 지출에 관련된 질문이 있었는데 투자가 딜레이돼 자금흐름에 어려움 존재. 당장 긴축하기 보다는 쓰는만큼 돈을 더 많이 벌어오는 방법 지향.

2022년 무더운 여름, 한 달에 한 번 있는 전사 미팅에 돌고래는 예정된 투자금이 밀렸음을 공지했다. 투자금이 지연된 마당에 복지혜택 증진은 어려울 거라 이야기 하면서도 긴축하기보다는 쓰는 만큼 돈을 더 벌어 오리라는 당찬 포부를 밝혔다. 그런 안내를 받고도 고릴라의 관심은 오로지 마지막 문장에 있었다. 당 떨어질 때마다 급속으로 충전할 수 있던 5층짜리 간식 선반, 무엇이든 배울 수 있던 교육 지원비, 동물들의 문화생활을 응원한다던 문화 지원비, 복지 포인트를 모아 생활에 필요한 물품을 구매할 수 있던 복지몰, 생일선물, 입사 1주년 선물, 명절선물 등 전부 나열하기도 어려울 만큼 수많은 복지와 혜택이 하나 둘 씩 사라져가고 있는 이유에 대해 자금 흐름에 문제가 있다고 밝힌 상황에 쓰는 만큼 더 많이 벌어 오시겠다는 돌고래의 희망적인 멘트에 매료돼버린 것이다. 당이 떨어져 머리가 핑 돌아도 텅 빈 선반을 바라보는 것 외에 할 수 있는 게 없음에도 말이다. 직장생활 중인 친구나 가족들이 이런 쓸데없는 걸 명절 선물로 준다며 투덜거릴 때도, 부러움에 휩싸여 질투가 마구 새어 나와도, 회사가 처한 상황을 직시하지 않았다.

급기야 급여가 밀리는 상황이 와도 회사가 처한 상황이 그렇게 어렵고 힘든 상황은 아니라고 생각했다. 자금 흐름에 일시적인 착오가 있었을지 모르겠지만 돌고래가 이렇게까지 투명하고 친절하게 설명하고 또 양해를 구하는 데 얼마나 심각해봤자 얼마나 큰 문제일까 싶었다. 실제로 지연된 급여를 약속한 일자에 지급받기도 했으니까 말이다.

〈급여관련 공지사항〉

… 현상황으로는 이번 달 급여지급이 어려울 것으로 보입니다. 급여일까지 최선을 다해 구해보긴 하겠지만 재무상 차입의 한계로 다른 방법으로 조달할 수 있을지 알아보고 있습니다… 혹시 모를 상황에 개인적인 대비를 부탁드립니다. 당분간 좀 어려운 시간이 될 수도 있을 것 같습니다. 이렇게까지 오게되어 죄송합니다.

2023년 따뜻한 봄날, 상황은 점점 차가워졌다. 친구들과 가족들이 앞으로 어떻게 할 건지 물어오기 시작했다. 가라앉는 배에 언제까지 탑승해 있을 거냐며 은근하고도 집요하게 물었다. 아니, 지금 당장 어떤 마음인지도 모르겠는데 계획이라는 게 있을 리가 없지 않은가. 그럴 때마다 일단 잘 모르겠지만 조금만 더 다녀보고 싶다며 이렇게 저렇게 둘러댔다. 그리곤 즉흥적으로 마음에도 없는 계획을 주절주절 늘어놓았다. 고릴라의 알량한 자존심은 점점 견고하게 무럭무럭 자랐다. 이제 와서 생각해 보건대, '잘 다니던 회사가 그렇게 돼서 정말 속상하겠다. 그래도 할 수 있는 데까지 최선을 다해봐! 회사가 재정적으로 회복이 되든 안 되든 분명 그 과정에서 배울 점이 있을 거야.'라고 말해줬다 한들 괜히 약 올리는 거 아닌가 싶은 마음에 있는 가슴이나 쿵쾅 쿵쾅치며 있는 힘껏 삐딱하게 대꾸했을 게 분명하다.

조금이라도 불평불만을 늘어뜨릴 에너지를 아껴 난장판이 되어버린 이 상황을 어떻게 수습해 볼 수 있을지 온갖 상상의 나래를 펼쳤다. 하루는 5~60대를 주 고객층으로 두고 있는 서비스 특성상, 텔레비전 광고나 길거리 전단지라도 돌려야 하는 거 아닌가 싶어 마치 가련한 성냥팔이 소녀가 '성냥 사세요'를 외치듯, '우리 회사 좀 봐주세요'를 외치며 사람들에게 전단지를 쥐여주는 측은한 고릴라의 모습을 떠올렸다. 연이어 전단지를 뿌리치고 제 갈 길만 가는 사람들의 모습에 각박하게 변해버린 세상을 규탄해 보기도 했다. 회사가 사라져가는 마당에 모두 모여 머리를 맞대고 24시간 비상 모드로 각성해도 모자랄 판에 이전과 다를 바 없이 굴러가는 업무 스케줄을 따르며 가만히 앉아 서비스나 기획하고 있자니 여간 답답한 일이 아니었다.

동물들 사이에선 의견이 갈리기 시작했다. 돌고래의 무능함을 들춰내다가도 이런 상황에서 무엇을 할 수 있겠냐며 서로를 다독였다. 회사 분위기는 순식간에 잿빛으로 물들었고 밝고 활기 넘치던 동물들은 점점 빛을 잃어갔다. 약속받은 급여도 지급받지 못하고 연봉협상도 결렬된 마당에 더 이상 일할 이유가 없다며 투덜거리면서도 매일 각자의 자리를 지켰다. 여느 때와 다를 것 없이 출근했고, 여느 때와 다를 것 없이 일하는 것처럼 보였지만 모두 짙은 회색 아우라를 풍기며 같은 표정을 짓고 있었다. 돌이켜 보면 돌고래는 투자금이 지연될 때마다 즉시 알렸으나 투자금 좀 밀린다고 설마 별 일 있겠어 싶은 마음에 대수롭지 않게 넘겼던 것 같다. 그런 공지가 있어도 체감할 만한 변화가 즉각적으로 눈에 보였던 것도 아니었을뿐더러 그건 돌고래의 영역이지 다른 동물들이 어떻게 개입할 수 있을 만한 영역은 아니라 믿었다. 결국 구조조정이 있네마네가 몇 번 건너 건너 들리더니 동물들의 2/3가 사라졌다. 회사는 더 이상 제구실을 못 했다. 3개월, 4개월, 5개월… 혹시나 하는 마음으로 기다리던 급여는 기약 없이 밀리기 시작했다. 이윽고 앞으로 급여 지급이 어려우니 대지급금 신청을 통해 지급받을 것을 권했다.

한날한시, 동물들은 안내받은 고용센터로 삼삼오오 모였다. 빛바랜 외관에 시멘트 바닥, 낮은 천장과 길게 늘어진 복도를 지나 담당자를 찾아갔더니 대표까지 와야 시작할 수 있단다. 시간이 얼마나 흘렀을까, 복도 끝에서부터 익숙한 풍채가 광대까지 늘어진 다크서클을 뽐내며 웃는 건지 우는 건지 모를 표정으로 성큼성큼 걸어왔다. 헝클어진 머리카락과 초점을 잃은 눈, 그리고 미세하게 떨리는 손까지 오랜만에 만난 돌고래는 움쩍달싹도 못할 만큼 그 무게에 짓눌려버린 모습이었다. 노동의 대가로 정당하게 요구할 수 있는 임금인데도 불구하고 미안한 마음이 차올랐다.

"고용주 처벌하기 원하세요?" 담당자가 물었다.

악의를 갖고 고의로 임금을 안 준 것도 아닌데, 과연 이 상황에서 처벌을 원하는 사람이 있다면 정말 나쁜 사람이라는 생각이 들었다. 그렇다고 처벌을 원하지 않는다고 착한 사람이 되는 것도 아닌데 말이다. 직원들의 급여와 일터를 책임지기는커녕 아무것도 할 수 없어 눈도 못 마주치며 손을 벌벌 떨고 있는 사람 앞에서 어떻게 하면 착해 보일지 고민하는 모습이 순간 벌레만도 못하다는 생각이 들었다. 4개의 눈동자가 고릴라에게 쏠렸다. 형식적인 질문이지만 모두를 긴장하게 만드는 그 질문 앞에, 오로지 고릴라의 대답만 기다리는 정적이 흘렀다.

"아니요."

기다렸다는 듯 다음 서류 작업을 진행하시는 담당자와는 다르게, 돌고래는 미세하게 한결 편안해 보였다.

〈연말 인사〉

··· 어려운 한해 너무 고생 많으셨습니다. 부득불 어려운 결정에 동참해 주시는 점 깊이 고개 숙여 감사를 전합니다.

얼마 후, 예정된 대지급금 입금과 동시에 프리랜서로 함께 해달라는 요청을 받았다. 학습된 무력감이었을까. 지금 작별을 고해도 그렇게 이상하지 않은 상황임에도 불구하고 생각할 것도 없이 그 제안을 받아들일 참이었다. 하지만, 이왕 회사가 이렇게 되었으니 한 템포 쉬어 가는 쪽을 택했다. 사실 회사가 점점 기울어져 갈 때, 똥을 아주 제대로 밟아버렸다고 생각했다. 호기롭고 패기 넘치게 올라탔던 그 배에서 다른 무엇보다도 고릴라에게 가장 많이 찾아왔던 건 부끄러움과 초라함, 수치, 질투 등 여러 가지 스스로 안 어울린다고 믿었던 모습들이었다. 부끄럽게도, 고릴라는 고릴라가 생각하는 것보다 게으르고 체면을 중요하게 여기며 자기중심적이고 있어 보이기 좋아하는 사람이었음이 자꾸만 드러나고 확인돼 가는 그 과정이 실로 똥 같았기 때문이다. 그럼에도 당시엔 똥이라 믿었던 경험이 인정되는 순간 앞으로 나아갈 힘을 얻을 수 있었다. 앞으로 살아갈 모든 날, 특히 똥 밟았다 생각되는 모든 순간이 이처럼 거름이 되어 우리를 더 성장시키리라.

초록을 거닐고 있는 그대에게

-부제: 한 계단 더 위로 날 올려낸
모든 이들에게 감사하며

Y.H

Y.H   초등 교직에 입문하여 끊임없는 성장 중. 어떤 일을 손에 잡든 호기심 가득한 눈으로 해 보고 싶어하여 '하고잡이'라는 별명을 가지고 있다. 그리고 일단 시작하면 잘 해내야만 시원해 하는 성격 덕에 여러 분야에서 많은 발전을 이루어 내기도 했지만, 벌려 놓은 일을 처리하느라 늘 피로감에 휘둘리며 살기도 한다. 인생의 목표는 오로지 하나이다.

'행복에 겨워 낭만있게 살자!'

서점을 거닐거나 TV를 틀고, 인터넷을 보고 있으면 우리를 위로하는 꽤 많은 말과 문구를 마주한다. '수고했어, 오늘도'라든지, '아무것도 안 해도 괜찮아'와 같은 지친 마음을 감싸안아 주는 말들 덕에 행복한 날들이다. 정말로 어느 순간부터 마음을 치유하는 상담 프로그램이 인기를 끌기도 하고, 때로는 한 사람이 올린 게시글에 군중이 몰려들어 글쓴이를 위로하기도 하며, 걱정스럽고 바쁜 마음을 위로하는 책이 인기 도서 매대에 전시되어 있다. 사회 이곳저곳에서 지쳐가고 있는 우리의 마음을 보듬어 주고, 어떤 이들은 우리를 힘겹게 하는 대상을 겨냥하며 해학적으로 우스꽝스럽게 비판하기도 한다. 그리고 우리는 이를 받아들이며 스스로 위로하고, 때로는 조금 이기적일지라도 '역시 내가 맞았어, 정말 다른 사람들은 이상해'라며 다시 사회를 살아 나갈 힘을 얻기도 한다. 정말 감사한 일이다. 점차 개인주의가 심화하고, '과연 내가 생각하는 게 맞나?' 의심이 들어가는 시대이다. 내 생각을 지지해 주고 위로해 주며 소통할 수 있는 무엇인가가 있다는 건 어찌 보면 내가 의지할 수 있는 회색빛 시끄러운 도시 속 1평짜리의 컬러풀한 파라솔 아래 비치체어가 있는 느낌이니 말이다. 그런데 어느 순간부터는 과연 이것이 정말 나를 위한 것이 맞을까 하는 의문이 들었다. 위로와 공감이 넘쳐나는 시대에 사로잡혀 내가 버텨나갈 힘을 기르지 못하고 언제나 비치체어로 도피하는 것은 아닌지. 스스로를 객관적으로 보지 못하고 점점 아집에 빠져버리는 건 아닌지. 때로는 거울 속에 비친 나를 보며 냉철한 반성 속에 살아야 한다. 하지만 오로지 내 편만 들어주는 따뜻한 말들 속에 그 순간을 버티지 못하고, 타인만을 욕하며 행복에 겨운 파라솔 아래로 피하는 건 아닐지 고민스러워졌다.

  매서운 바람이 불어오는 겨울, 모두가 한데 모인 졸업식장에서 첫 졸업을 맡은 제자들에게 졸업장과 꽃을 정성스레 건네주었다. '안녕은 영원한 헤어짐은 아니겠지요'. 드디어 마지막을 알리며 1년간 함께한 학생들 모두를 떠나보내는 졸업식 음악이 흘러나왔다. 뒤로 돌아갈 수는 없다. 오로지 시간은 흘러가고 끝날 뿐이다. 내가 함께하며 공을 들였던 모든 것이 이제는 뒤를 향하지 않고 앞으로 떠나가 버림에도, 시원하다 못해 차디찬 행복감에 아쉬움은 묻혀버리고 말았다. 역설적으로 이별이 행복이 되어버렸고, 아쉬움은 후련함이 되어버렸다. 모두가 떠나가고 남겨진 조용한 적막이 오히려 나에겐 팡파르를 울리는 순간 같았다.

  졸업식이 있던 해 여름은, 고민스러운 시간의 연속이었다. 분명히

이 자리에 올라오기까지 준비하던 시절엔 나름의 가공되지 않은 순수하고 투박한 열정이 넘쳤었는데, 막상 현장을 겪어보니 이전에 외부에서 바라보던 내 생각과는 다른 것들이 눈에 들어오기 시작했다. 나의 가장 중심된 본분은 '수업'인 줄 알았는데, 정작 본분들은 점차 밀려난 채 그 이외의 모든 것들이 '주'가 되려 하는 것을 체감하는 순간부터 매너리즘과 무력감이 슬며시 고개를 들었다. 그 당시의 나는 내가 생각하는 중심에 온전한 힘을 쏟기 힘들었다. 한 명의 직장인으로서 나에게 맡겨진 일을 차분히 해 나가면서도, 내가 잘 하는 걸까, 이 길을 선택한 게 맞는 걸까 하며 마음은 여전히 끝을 알 수 없는 미로 속에 갇혀 있었다. 더욱이 그 해 들려왔던 안타까운 일로 인한 몇몇 동료들의 죽음은 마음을 한층 더 어지럽게 했다.

그렇게 혼란의 구렁텅이에 빠진 채로 몇 달이 지났을까. 이제는 스산한 바람이 볼을 스치는 12월이었다. 가슴까지 차갑게 하는 공기가 내 곁을 스쳐 갔지만 책상 위의 전화기와 컴퓨터는 도무지 식을 줄 몰랐다. 어쩌면 그때부터 본격적으로 뜨거워지기 시작했는지도 모르겠다. 이제는 전처럼 얼버무리며 공상하는 얼굴로 무력감에 빠져있을 시간조차 없었다.

왜 유난히 더 푸근한지 알 수 없는 평일 아침의 운전석 시트에서 엉덩이를 떼고 나면 일과가 시작되었다. 혹시 학급에 도착한 택배는 없을지 살피고, 교무실로 올라가 동료 선생님들과 인사를 나누며 커피 한 잔을 손에 쥐었다. 오늘도 별 탈 없이 무사히 지나가는 하루가 되기를 기원하며 교실로 들어갔다. 책상 위 수북하게 쌓여있는 서류들을 애써 외면하며 커피 한 모금을 입에 털어 넣었다. 어제 시간이 늦어버려 대충 퇴근을 한 탓에 업무 지시 내용을 정리하지 못했다. 차근차근 다시 정리하려 메신저를 열어 살펴보는데 문득 드는 귀찮은 마음에 메시지 개수를 세어보니 어제만 해도 수십 개가 쌓여있었다. 다시 해야 할 일을 정리하고 그냥 무심결에 나오는 한숨을 푹 내쉬며 고개를 가로저었다.

그러다 보니 어느새 9시였다. 교과서를 준비하자는 말을 하며 수업을 시작했다. 그래도 이번 주는 주말에 수업 내용을 준비해 둔 덕에 수업 진행은 수월했다. 그리고 경험이 적잖이 쌓이다 보니 왠지 학생들이 모를 것만 같았던 포인트를 미리 잡을 수 있었다. 수업이 지루해질 무렵 해 줄 재미있는 이야기와 자료도 물론 다 준비하고 있었다. 40분은 그래도 금방 지나간다. 학생 때는 참 수업 시간이 안 가곤 했는데, 이제 내가 교단에 서니 맞추어 둔 수업의 흐름에 따라 진행해 나가고, 중간중간 순회하고 개별 지도를 하다 보면 어느 순간 40분이 훌쩍 지나가 있다. 수업은 순조로이 지나갔지만 여유로워할 쉬는 시간은 없다. 지금 이 짧은 쉬는 시간에라도 아침에 다른 선생님께서 요청하신 업무 권한을 부여해 드리고, 빨리 교무실에 내려가 학생들 중학교 입학 배정에 관해 이야기하고 와야 한다. 어느 정도 협의를 해 놔야 조만간 올 교육청에서의 전화에 답변을 드릴 수 있었다. 그렇게 어떻게든지 짬짬이 하나하나 수업을 마치며 업무를 쳐내 가고 있었다. 해냈다는 표현보다는 쳐냈다는 표현이 더 적합할 것 같다. 하필이면 올해 업무 권한 시스템도 바뀌어 도대체 어떻게 하는 것인지 모르는 탓에 짜증만 한가득 생기고 말았다. 비록 사이사이에 학생들끼리의 다툼이 있어서 해결하느라 여러모로 바쁜 적도 있었지만, 그래도 운이 좋게 조금이라도 빈 시간이 나면 계속 조금씩 업무를 쳐내려고 노력했다. 그렇게 수업과 업무를 반복해 나가다 보니 점심시간이 돌아왔다. 우리는 고학년이라 배식 시간이 조금은 늦어서 간단한 게임을 하거나 퀴즈를 하며 남는 시간을 보냈다. 점심시간은 학생들에게 꿀 같은 시간이었다.

아무튼 나는 빨리 먹고 다시 올라가야 했다. 졸업앨범을 담당하는 외주업체 대표님과 점심시간에 만나 협의하기로 했기 때문이다. 이제 거의 마무리가 되어가는 단계였기에 크게 논의가 필요한 부분은 없겠지만, 그래도 나름 신경 쓰이는 일이었다. 엄청난 속도로 밥을 먹는 우리 반 학생들 속도에 맞춰 나도 잽싸게 밥을 먹고 교무실로 올라갔다. 다행히 작업은 잘 되어 가는 것 같았다. 시간이 얼마 남지 않아 오늘은 따로 지도하지 못했지만, 내가 맡은 스포츠클럽 학생들에게 급한 대로 얼굴만 비추고 다시 5교시 수업을 위해 교실로 얼른 올라왔다. 그래도 6교시 중 5교시의 시작은 하루의 수업이 거의 끝나감을 의미하기 때문에 마음이 한결 편했다. 다른 소음에 묻히지 않으려 목소리를 계속 크게 냈더니 목이 칼칼해서, 따뜻한 물을 한 모금 마시며 5교시 수업을 시작하려 했다. 마침 그때, 평소에 장난꾸러기 그 자체인 학생이 문득 이야기를 꺼냈다.

"와, 선생님 근데 저는 나중에 초등학교 선생님은 안 할 거예요."

왜 갑자기 그런 얘기를 꺼냈나 싶어 다시 물을 한 모금 들이켜며 물어보았다.

"왜?"

저건 내가 안타깝다는 표정일까? 이 현실이 그가 보기에도 씁쓸하다는 표정일까? 아무튼 그런 묘한 표정을 지으며 학생이 대답했다.

"그냥 너무 힘들어 보여요. 일도 많고 애들도 맨날 대하셔야 하고."

내가 너무 힘든 티를 냈었나 싶어 나도 한마디 거들었다.

"음, 그래도 보람 있는 직업이야."

"그래도 안 해요."

차라리 나았다. 힘든 게 티가 날지언정 힘들게 열심히 일하고 있다는 사실을 알아주었으면 했다. 그리고 왠지 그런 말이라고는 전혀 하지 않을 마냥 철부지 같은 학생이 수고스러움을 알아주니 그 기쁨은 두 배가 되었다. 머쓱한 미소를 남긴 채 늘 그랬듯 준비해 둔 수업 자료를 꺼내 들었다. 그리고 졸린 잠을 깨워내며 세계의 다양한 지구촌 문제들에 대해 알아보는 시간을 가져보며 5교시를 그럭저럭 보내었다. 무슨 일이든지 열심히 참여하는 학생들이 기특했다.

6교시는 체육 수업이었다. 학생들을 먼저 체육관에 보내 놓고 수업 도구를 정리하며 내 학창 시절을 잠깐 생각해 보았다. 나는 체육을 정말 좋아하는 학생이었다. 다른 수업 시간은 몰라도 체육 시간이 언제 들었는지 달달 외웠다. 그래서 다른 이유로는 혼난 적이 있을지라도 체육복을 챙겨오지 않아서 혼난 적은 없었다. 또, 아침잠이 많은 아이였던 나였지만 운동을 하기 위해서라면 학교에 일찍 가는 것도 마다하지 않았다. 교사가 되어서도 체육 수업을 대충하고 싶지는 않았다.

다시 한번 이야기하지만, 나는 체육을 정말 좋아하는 학생이었기 때문이다. 학창 시절 주룩주룩 내리는 비가 마련한 교실 수업을 너무나도 싫어했고, 강한 햇살이 우리를 운동장에서 내쫓아 교실에서 영화 보는 수업을 절대 좋아하지 않았다. 내가 막상 교단에 서 보니 선생님께서도 왜 그러셨는지 충분히 이해하고도 남았지만, 그래도 그 당시에는 푸른 하늘을 보며 뛰놀고 싶었다. 그래서 나는 늘 체육 수업은 설령 재미가 없을지라도 내 힘이 닿는 한은 꼭 몸을 움직이는 수업을 할 것이라고 다짐했다. 그렇게 다짐하고 다짐해도 6교시 체육 수업은 귀찮았다. 난방 기구가 잘 못 설치된 탓에 체육관은 너무 춥고, 벌써 5교시까지 오면서 힘이 다 빠져버렸는데, 지금 이 교실보다 더 큰 공간에서 내가 함께 뛰어다니면서 더 활발해지는 학생들과 함께 할 자신이 없었다. 체육관에서는 목소리도 더 크게 내야 했다. 피곤하고, 졸리고, 귀찮다. 힘들고, 자리에서 일어나기 싫었다. 그냥 침대가 아니어도 좋으니 의자에서라도 허리를 뒤로 힘껏 젖히고 잠이나 무책임하게 한껏 자고 싶었다. 그런데 뭐 어쩌겠는가. 그건 내 상상 속에서나 가능한 일이었고, 졸린 눈을 비비며 자리를 박차고 일어나서 체육관에 도착했다. 나는 소위 말하는 '헬스장의 법칙'을 믿는다. 아무리 귀찮아도, 일단 가기만 하면 나름으로 열심히 한다는 법칙이다. 언제 감겨가는 눈빛이었는지 알 수도 없이 호루라기를 한 손에 들고, 이제껏 가장 학생들에게 인기 있었고 활동량이 많은 활동을 소개했다. 그럼에도 올라오지 않는 텐션에 콘서트장에서 땀에 절인 채 무대를 이끌어 가는 내가 제일 좋아하는 가수의 열정적인 무대를 상상했다. 그리고는

'그래, 나에게는 여기가 무대다. 얘네가 팬이고, 내가 가수다'라고 스스로를 속여가며 그 가수의 열정만큼 나의 수업을 불태웠다. 겨우 수업을 마치고는 히말라야산맥을 오르는 것처럼 4층까지 어기적어기적 다시 올라왔다. 수업이 끝나고 학생들이 가야 그제야 업무를 할 수 있는 시간의 시작인데, 정말 진이 다 빠지고, 기가 다 빨려 버렸다.

나도 정신이 없는 채로 학생들에게 종례 준비를 하라고 이야기했다. 하루를 마치는 '안녕히 계세요.' 소리를 들은 뒤 이제 정말 마무리하려고 하는 찰나, 나의 레이더에 잡힌 학생이 있었다. 자리 정돈도 하지 않은 채로 종례 인사를 하는 둥 마는 둥 남기며 가는 학생이었다. 그를 불러세워 다시 이야기를 나눈 뒤 드디어 3시가 조금 넘어 학생들 모두를 하교시켰다. 그냥 보낼 수도 있었겠지만 언제나 저런 것들이 눈에 늘 거슬렸다. 여러모로 조금씩 부족해도 인성이 바르고 웃는 얼굴로 예의를 지키면 모두가 너희를 도우려 할 거야'라는 말을 입에 달고 사는지라, 아쉽게도 그런 학생이 나에게 피해 갈 명분은 없었다. 설령 학업이 좀 부족한 학생이 빠져나갈 구멍은 있을지라도 말이다. 아무튼 학생들은 모두 귀가했고, 다행히 오늘은 이런저런 유형의 상담이나, 회의는 없다. 그렇다면 당연하게도, 수업을 마친 뒤 언제든지 나의 업무 중 1순위는 수업 준비였다. 그게 아주 적은 시간일지라도 말이다. 매일 여섯 과목씩 돌아오는 시간표에 맞추어 좋은 자료를 선별하고, 내 스타일에 맞게 수정하곤 했다. 필요한 수업 준비물이 있으면 직접 만들거나 구입하기도 하고, 그것들을 교과서와 지도서를 보며 주욱 정리하곤 했다. 혹자는 초등 교과가 무슨 어려운 게 있냐며 우리의 사기를 꺾기도 하지만, 그건 어쩌면 너무 어른스러운 생각이다. 우리에게 당연히 쉬운 것들이 학생들에게는 절대로 이해 안 가는 내용 중 하나이기 때문이다. 그래서 안일한 생각으로 다음 날을 맞게 되면 내 말을 이해하기 어려워하는 학생들의 당황스러운 눈빛을 마주해야 했고, 더 안일했던 날엔 지루함에 감겨가는 눈빛과 하품에 속절없이 벌어지는 입을 마주해야 했다. 좋았든 좋지 못했든, 만족스러웠든 그렇지 않았든 수업은 끝나기 마련이지만, 스스로에게 밀려오는 죄책감에 마냥 그럴 순 없었다. 물론 내가 조금 더 경험이 쌓였고, 조금 더 능숙했다면 더 빨리 준비할 수 있었겠지만, 아쉽게도 아직은 그 정도의 내공까지는 좀 부족한 점이 많았다. 수업 준비를 주말에 한다면 조금은 여유롭게 하겠지만, 지금은 빨리 끝내야 한다. 오늘은 기초 학력이 조금은 부족한 학생들을 방과 후에 지도하는 날이기 때문이다. 나도 어린 시절 수학을 워낙 어려워했던지라, 누구보다도 수학을 어려워하는 학생들의 마음을 십분 이해할 수 있었다. 정규 수업 40분이라는 짧은 시간 아래에서는 안타깝게도 눈 감고 지나가야 하는 부분도 있었지만, 지금 이렇게 소수의 인원이 남아 있는 환경에서는 조금 더 천천히 알려줄 수 있어 좋았다. 딱, 전화벨이 울리기 전까지 말이다. 이제껏 잊고 있었다. 뜨겁게 달아오르는 컴퓨터와 전화기. 아직 최대 공약수를 구하는 법을 다 알려주지 못했지만, 날 보채는 수화기를 달래러 자리를 떠야만 했다. 수화기를 든 채 다시 컴퓨터 화면을 보고 어느 한 기관에서 온 장학금 의뢰를 접수하고, 대상자를 조회하고 기록한 뒤, 학교 명의로 장학금을 기탁받았다는 공문 하나를 빠르게 작성했다. 그리고 나서야 비로소 원래 자리로 돌아와 오래 기다리게 해서 미안하다는 말을 건넨 뒤 최대공약수 구하는 법을 설명해 줄 수 있었다.

정신없이 하루가 흘러가고 있었다. 시계를 보니 5시가 조금 넘었다. 책상을 정리하며 한숨을 크게 내뱉었다. 동료, 선배 선생님들은 감사하게도 언제나 나에게 도움의 손길을 내밀고, 올해 학생들도 내 말을 잘 따라오는데 이렇게나 어렵다니. 신이 있다면 버티기는 버텨 보라고, 다행히도 '일 복'만 주지는 않고 '인 복'도 함께 얹어 줬구나 싶었다. 그래, 뭐라도 하나 줬으니 됐다. 오늘 하던 일을 마저 하고, 빨리 자체평가 보고서를 작성하고, 학생들의 생활기록부 작성 작업도 슬슬 시작해야 하지만 대충 마무리 지어 놓고 다음 주에 해야겠다고 마음먹었다. 여기서 뭘 더 해봤자 그냥 하염없이 빠진 힘으로 컴퓨터 화면이나 들여다보고 있을 게 뻔했다. 어영부영 저장 버튼을 눌러 놓은 채로 그 일은 내일의 나에게 맡기며 터벅터벅 교문 밖을 걸어 나왔다. 해도 빨리 져버리는 탓에 별을 보고 출근했는데 달을 보고 퇴근하고야 말았다. 자유시간은 이제야 시작인 것 같은데 하루가 다 끝나 버린 것 같아 아쉬운 마음을 달래고 싶었다. 꾸역꾸역 다 쓰러져가는 몸을 이끌고 헬스장에서 한바탕 나를 달궜다. 몸을 풀고 등 운동을 하려고 바를 잡아 주욱 당겼는데, 내가 기구를 당기는 건지, 기구가 나를 당기는 건지 알 수가 없었다. 그래도 열심히 하겠다고 생각하지 말고, 그냥 일단 뭐라도 하자는 생각으로 밀고 당기기를 반복하다 보니 어느 순간 두 시간이 흐르고, 밤은 깊어져 갔다. 내일은 좀 쉴까 싶었는데, 얼마 남지 않은 배구 시합에서 좋은 결과를 만들어 내려면 체력 단련은 정말 빠뜨리면 안 될 것 같은 생각이 들었다. 그렇게 나의 금요일 밤은 지나갔고 샤워기가 토해내는 뜨거운 물에 적절히 절여지며 쓰러지듯 잠자리에 들었다.

비록 치열한 주중을 보냈지만, 주말만큼은 다 잊고 행복해야만 한다. 꼭 그래야만 한다. 나를 위해서도 그렇고, 학생들을 위해서도 그렇다. 너무나 당연하고 자연스러운 이치이다. 교사가 행복해야, 학생도 행복하다. 학생들만이 아니라 교사도 학교 가기가 즐거워야 한다. 아니, 즐겁진 못하더라도 최소한 그냥 별생각 없이, 아무 생각 없이 갈 수 있어야만 한다. 내가 행복해야만 더 즐거운 마음으로 학생들을 대할 수 있고, 더 힘나고, 열정적으로 학생들을 마주할 수 있다. 나도 사람이지 않은가. 몇 년간의 블로그 글을 돌이켜 보면 늘 마지막 내용은 비슷하게 끝난다. 행복한 삶을 살고 싶고, 늘 긍정적인 마음으로 세상을 마주하기. 비워내기에 한참을 집중하고 살고 있다. 그 무엇보다 멘탈의 힘을 많이 소모해 나가는 일을 하고 있기에, 나를 위해서도, 학생들을 위해서도 그게 또 달릴 힘을 주는 기회라고 생각하며 살고 있다. 그래서 조금은 쉬고 싶은 마음도 들었지만, 주말이 아니면 또 언제 놀 수 있을까 하는 생각으로 여전히 나의 주말은 일정들로 가득 차 있었다.

슬슬 시간이 흘러 사람들도 두꺼운 옷을 꺼내 입기 시작했고, 거리의 풍경도 형형색색의 빛을 입기 시작했다. 고조되는 연말 분위기에 12월 24일, 딱 성탄절 하루만을 바라보며 하루, 또 하루가 지나갔다.

나는 친구와 함께 예약해 둔 글램핑장에 준비해 둔 음식들과 놀거리를 두 손 가득 싸 들고 들어갔다. 힘들었지만 설렜다. 갈증이 극에 달했을 때 사이다를 마시면 그 청량함이 배가 되듯이, 일터에서 쌓인 스트레스를 한 방에 풀어버리겠다고 단단한 각오를 다졌다. 기필코 성탄절의 나는 끝내주게 놀리라. 일을 시작하고 나서는 친구들과 모일 기회가 주말밖에 없었기에 더욱이 소중했다. 모름지기 모든 일에는 분위기가 절반은 먹고 들어가기에 장작을 모아 불부터 피웠다. 그리고 그 불이 여러 빛깔을 내며 탈 수 있도록 오로라 가루도 한 움큼 뿌려주었다. 올림픽을 개막하며 성화 봉송을 하듯, 우리만의 파티의 시작을 '장작 성화'가 알리고 있었다. 다만 뜨겁게 활활 타오르는 장작불과 반대로 기온은 점점 곤두박질치고 있었다.

하지만 굴할 수는 없었다. 월요일에 출근하면 또 한 번의 주말을 위해 일주일을 견뎌내야 하지 않는가? 다음 주가 오기 전에 끝내주게 놀리라 다짐하지 않았는가? 그 추위에도 굴하지 않고 나는 절대 들어가지 않고 밖에서 놀겠다고 다짐했다. 왠지 들어간다는 건 매서운 추위 앞에 이 열정이 무릎 꿇는 것 같았다. 점점 입김은 더 거세게 나왔지만 우리는 오기와 깡으로 그 입김을 눌러내며 기어코 숯불의 연기를 피워냈다. 입김인지, 고기가 구워지는 숯불 연기인지 모른 채로 우리는 활활 타오르는 장작불 옆에서 두툼한 고기를 구우며 실컷 먹고 놀았다. 그리고 그렇게 한껏 겨울밤의 정취를 즐겼다. 시간이 점점 늦어지며 사람들이 하나둘 텐트 안으로 들어가기 시작했고 우리도 텐트 안으로 들어갔다. 이제 씻어야 할 때가 와서 옷가지를 주섬주섬 챙겨 샤

워실로 들어갔다. 처음에는 뜨거운 물이 나오더니 데워진 물을 다 썼는지 점점 찬물이 나오기 시작했다. 그러지 않아도 이미 바깥에서 놀아서 뼛속까지 시린데, 얼음장같이 찬 물은 더 들어가지도 못할 뼛속 깊은 곳까지 꽁꽁 얼리고 말았다. 하지만 나는 그것마저도 '낭만'이라는 단어 아래 겨울밤의 추억으로 남기겠다고 마음먹었다. 씻고 나와서도 느껴지는 텐트 안의 찬 웃풍마저 '겨울밤의 낭만'이었던 셈 쳐버렸다. 그리고 그나마 내 보금자리가 되어 줄 전기 매트 안에 몸을 꼭꼭 숨기고 잠을 청했다.

다음 날 아침이 밝아 우리는 짐을 정리했고, 그 밤을 추억하며 집으로 향했다. 그리고 이런저런 일들을 하며 남은 하루를 그럭저럭 보내다가 다음날 출근을 위해 다시 한번 일찍 잠에 들었다.

그리고 그날 새벽, 생각보다 일찍 잠에서 깨어났다. 알 수 없는 찌뿌듯함에 시계를 확인해 보니 시계는 오전 1시 54분을 가리키고 있었다. 분명 다시 잠들어야 하는데, 잠에 들 수가 없었다. 알 수 없는 이상하고 묘한 컨디션에 약간 머리도 아픈 듯했다. 차라리 크게 아파지려면 크게 아프던지, 몸이 아픈 것도 아니고 안 아픈 것도 아닌 게 참 애매했다. 그날 밤 동안 여러 번이고 잠에 들었다 깨길 반복했다. 그러고는 점점 두통이 시작되며 몸이 으슬으슬하더니 오한이 든 듯 몸 상태가 급격히 안 좋아졌다. 감기약이라도 하나 먹고 자야 출근을 할 수 있을 것 같아서 하나 챙겨 먹고 다시 침대 위에 누웠다. '자자. 잠에 들자.' 이 생각을 수십번쯤 되뇌다 보니 오라는 잠은 오지 않고 출근 시간만 1시간 앞으로 다가왔다.

못 가겠다 싶었다. 일을 시작한 이래로, 아파서 빠져본 적은 없는데, 이건 아니다 싶었다. 그래도 해야 할 게 많은데, 참고 갈까, 못 가겠다고 연락할까 고민하다가 휴대전화를 들었다.

"죄송하지만 오늘 출근하기가 어려울 것 같습니다."

학교에 전화해 사정을 설명했다. 다행히 내 사정을 학교에서는 이해해 주시고, 오늘 푹 쉬라는 이야기를 건넸다. 딱 그 말을 듣자마자, '아, 오늘은 일단 쉴 수 있다.'라는 생각이 들며, 침대에 그대로 나자빠져 버렸다.

병원은 가야 했는데 몸은 당연히 그다지 경쾌하게 움직여지지 않았다. '일어나야 하는데….' 생각만 반복하며 털썩 누운 채 휴대전화를 꺼내 들어 이런저런 소식을 확인했다. 얼마 전에 같이 일 얘기를 나눴던 O에게 답신이 와 있었다. '야, 그래도 방학 있으니까 뭐 그런 직업이 최고지. 일도 안 하는데 월급은 그냥 한 달 치 타간다는 게.', '솔직히 내용도 쉽고 가르치는 거 자체는 편하잖아.', '그리고 4시 40분에 퇴근하면 퇴근하고 나서도 시간 넉넉하겠네. 야, 나도 할 걸 그랬다야.', '솔직히 퇴근 빨라, 가르치는 내용도 쉬워, 요새 그리고 뭐 애들 사교육도 많이 해서 크게 어려울 거는 없지 않나?'

그래도 이제껏 어찌저찌 서 있었는데, 그때는 무너진 순간이었다. 차라리 보지나 말고 병원이나 갔다 올 걸 그랬다. 뭔가 차오르는 게 분노인지 억울한 건지는 알 수 없었다. 몸도 힘들었지만, 왠지 마음마저도 무너진 순간이었다. 굳이 싸우기는 귀찮고 힘을 낭비하고 싶지는 않았다. 어차피 해 보지 않으면 모른다. 아마 몰라서 그런 거겠지. 그냥 무너진 걸 받아들이기로 했다.

  그리고 일단은 쉬기로 마음먹었다. 뭐든지 힘이 있어야 시작할 수 있으니까! 지금 쉴 수 있다는 생각보다는 나중에 밀린 일을 언제 다 처리할까 하는 갑갑한 마음이 들었지만, 일단은 침대에 드러눕는 게 우선이었다. 한 한 시간 정도 지났을까. 이렇게 무의미하게 누워있는 것보다 병원이라도 빨리 다녀오는 게 낫다는 생각이 들었다. 모자를 푹 눌러쓰고 병원에 다녀와서 약을 몇 일치 지어왔다. 병원에서도, 약국에서도 피로하지 않게 쉬어야 한다는 말을 꼭 덧붙여 주셨다. 그 말을 들으며 문득 생각해 보니, 그해에는 참 병치레가 잦았었다. 그리고 사실 이전에 병원에 갈 때마다 이미 아주 많은 경고가 있었다. 돌이켜보니 정말 병원을 갈 때마다 쉬어야 한다, 잘 자야 한다, 왜 쉬질 않느냐는 이야기를 매번 들었던 것 같았다. 바빴던 학교도 원망스러웠지만, 그것과는 별개로 스스로를 잘 돌보지 못했다는 나 자신에 대한 원망도 몰려왔다. 피곤했던 만큼 더 잘 쉬었어야 하는 건데. 뻗어 누워 자책하며 휴대전화를 하고 자기를 반복하다 보니 밥도 제대로 먹지 못한 채 또 밤이 찾아왔다. 여전히 피곤하기는 피곤했지만, 잠은 잘 오지 않았다. 기침도 점점 심해졌고, 피로도도 점점 누적되었으며, 감기 증세는 시간이 지날수록 더 심해지기만 했다. 그래도 자야겠다고 마음을 먹고 눈을 감으니 조금씩 잠은 오기 시작했다.

  '크으음… 습!'

  불편한 소리와 한껏 차오르는 짜증 나는 마음과 함께 잠이 깨기 시작했다. 기침과 감기 기운 때문인지 호흡이 불안정한 것 같았다. 녹음기를 켜서 정말 생각한 원인이 맞는지 살펴봤더니 매번 그렇게 잠에서 깨고 있었다. 원인은 찾았지만, 해결책은 없었다. 그저 잠에 들기를 바라는 마음으로 눕는 수밖에 없었다. 그리고 그 밤은 수십 차례를 잠들었다 깨기를 반복하며 거의 뜬눈으로 지새웠다. 여전히 누적된 피로와 돌아오지 않는 컨디션을 탓하며 오늘도 여전히 출근할 수 없었다.

뭐라도 해야 할 것만 같아서 운전대를 잡고 본가로 향했다. 내가 근무하는 곳보다는 도심지인 본가로 가서 좀 더 큰 병원에 방문할 생각이었다. 거의 다 쓰러져가던 내 몸은 폐렴 증세에 가까웠다. 나아질 수 있는 건 뭐라도 해달라고 말씀드려서 주사와 수액을 맞고 기운을 좀 차렸다. 출근하던 날에는 낮이 싫고 퇴근을 쟁취해 낸 밤이 좋았는데, 컨디션은 되찾았어도 아직 몸 상태를 회복하지 못한 탓에 이제는 밤이 두려웠다. 아니나 다를까, 그날 밤도 역시나 '크으음… 읍!' 하는 불규칙한 호흡 소리와 쉴 줄을 모르고 나오는 기침에 잠들지 못하고 거의 밤을 새우고 말았다.

그래도 조금은 나아진 컨디션에 피곤하긴 했지만, 다음 날 출근을 했다. 내가 이제껏 경험 해 본 가장 힘든 출근길이었다. 하지만 지금 해 놓지 않으면 나중에 더 힘들어질 것이 뻔했다. 힘든 몸을 이끌고 다시 학교로 발걸음을 옮겼다. 그리고 컴퓨터를 켰다. 당시를 회고하며 글을 쓰는 지금도 그때를 생각하면 아찔할 정도로 많은 업무 지시가 쌓여있었다. 도대체 어디서부터 손을 대야 할까. 속된 말로 견적이 안 나왔다. 학기 말이 되다 보니 각 업무 계에서도 마무리해야 할 일이 많

앉고, 담임으로서도, 내가 담당하는 업무에서도 모든 일이 몰려버렸다. 그래도 이겨나갈 수 있는 마음은 딱 한 가지라는 생각이 들었다.

'뭐 어쩌겠어. 해야지.'

하나씩 하나씩, 차근차근 일단 할 일을 정리했다. 마음 정리 따위할 시간은 없었다. 마음 정리보다 더 급한 게 내 컴퓨터에 쌓인 업무 정리였다. 힘들 때 웃는 자가 일류라고, 휴대전화를 들어 카카오톡을 키고 친구에게 메시지를 하나 보내며 일을 시작했다.

'야, 눈물 닦고 기침하는데 한 시간이다.'

답장은 확인하지도 못한 채로, 하루가 또 지나갔다. 수업 마치고 일을 조금 하다가 반차라도 낼 생각으로 출근한 거였는데 반차는커녕 제시간에 퇴근하지도 못했다. 그리고 집으로 가서 뻗어버렸다. 유난히 따뜻한 집밥이 생각나는 순간이었지만, 자취방에서 그걸 바라기는 사치였다. 그러고서도 며칠간은 잠도 제대로 자지 못하며 버티고 또 버텼다. 그러다 보니 결국 주말이 왔다. 표류한 배에서 가까스로 육지에 헤엄쳐 도착한 사람처럼 안도의 한숨을 내쉬었다.

그렇게 몇 주를 이겨내다 보니 결국 그날이 왔다. 모든 학생을 중학교에 배정하고, 졸업앨범을 하나씩 손에 쥐여주고, 나에게 쌓여있던 모든 것을 거의 다 처리하고 나니 졸업식 음악이 흘러나오며 한 해가 지났다. 정들었던 학생들과 교실을 떠난다는 생각에 아쉬운 마음도 들어야 하지만, 나도 사람인지라 너무나도 지쳐버린 몸과 마음에 그저 끝났다는 생각이 내 마음을 지배했다. 해방감. 그 당시를 설명할 수 있는 단어는 오로지 이것 말고는 없다.

그로부터 한 해가 지난 요즈음도 여전히 여러 이유로 어렵다. 아직도 나에게 다가오는 비를 흠뻑 적셔 맞기엔 너무 춥고 지친다. 여전히 내 책상 위에는 서류가 잔뜩 쌓여있고, 메신저는 멈출 줄 모른다. 전화는 수시로 울려대고, 올해 우리 반이 된 학생들은 착한 눈망울로 오로지 나만 쳐다보고 있다. 늘 뜨겁기만 하다. 내 책상의 계절은 일 년 내내 8월의 여름이다. 모든 게 똑같을지라도, 달라진 게 없지는 않다. 바로 출근한 날 보는 다른 사람들의 따뜻한 말들이다.

"선생님, 저 혹시 이것 좀 알려주실 수 있으실까요?"

"선생님, 내년에는 부장 어때요! 올해 일을 너무 잘하고 수고했어요."

"이야, 예전에는 어린 모습뿐이더니 이제는 경력직 같네요."

그 말이, 그 의도가 무엇이든 간에, 굉장히 뿌듯한 순간이다. 듣기 좋은 빈말이든, 일을 나에게 맡기는 것이든 그건 중요하지 않다. 어쨌든 다른 사람들이 보기에 나에게도 이제 여유라는 게 생기고, 내가 해나가는 일에 신뢰도라는 게 쌓여서 다시금 일을 맡기고 싶다는 이야기니까. 재직한 이래로 언제까지나 막내였던 나에게도 후배 선생님이 생겨서, 내가 도움을 줄 수 있게 되었다는 사실도 성장했음을 느끼게 한다. 정말 아무것도 모르고 바닥에서 시작했던 지친 기억을 발판 삼아 늘 먼저 나서서 작은 것들부터 도움의 손길을 내민다. 공문을 작성하고, 품의서를 작성하는 기본적인 일에서부터, 알아두면 쓸모 있는 잡다한 지식까지. 내가 나누어 줄 수 있는 건 정말 부담되지 않는 만큼 다 나누려는 게 목표이다. 물론, 후배 선생님들께만은 아니다. 매년

담당 업무가 한 해 한 해 바뀌어 가는 우리네의 특성을 고려하여, 동료 선생님들께도 선구자가 될 수 있도록 1월부터 인수인계를 위해 N이라는 프로그램에 오롯이 업무 자료와 진행 순서를 빼곡히 기록해 놓았다. 그런 하나하나의 노력이 언제나 일 처리를 어떻게 해야 할지 '물어보기만 하는 나'에서, '일을 알려주는 나'로 변화시켜 놓았다는 사실에 조금은 뿌듯한 마음이 앞선다. 그리고 그런 노력과 믿음이 쌓여 미약하나마 '신뢰의 탑'을 만들어 냈다는 사실이 나에게는 작으면서도 큰 기쁨이다. 그리고 그렇게 조금씩 자신감이 쌓여나가다 보니 이제는 바쁜 와중에도 여유 있는 미소가 가끔은 흘러나온다. 늘 긍정적이고 자신감만 넘쳤던 것은 아니었다. 한 편으로는 내가 혼자만 힘들어하며 버티지 못했나 싶기도 했다. 하지만 올해 업무분장을 새로 하며 내가 맡았던 업무가 나뉘어 여러 선생님께 배치된 걸 보고 그래도 조금 많기는 많았구나 싶었다. 그래, 다시 생각해도 많긴 많았다는 건 맞는 것 같다.

나는 아직도 그때와 똑같이 바쁘다. 매일매일 할 일들, 기록해 놔야 할 일들이 공책에 여느 때처럼 빼곡히 쌓인다. '교내 과학 대회 기안 및 물품 구입', '과학의 날 행사 추진', '3교시 쉬는 시간 중 어느 일이 있었음'. 물론, 달라진 게 딱 하나 있기는 하다. 정신없이 할 일을 받아 적었던 지난날의 나와는 달리 이젠 빽빽한 공책 그 아래에, 들키지 않을 미소를 슬쩍 지으며 낙서를 한 줄 덧붙인다.

'뜨거운 초록을 지나고 나면, 반드시 시원한 붉음이 온다.'

사계(四季)

강병준

강병준   군인 아버지에게 적잖은 반항을 하며 어린시절을 보냈다. 운동이 좋은
        나머지 훈련병 시절 장래희망에 '직업군인'을 적어냈다.

        '모두가 사는 세상은 같지만, 다른 시야로 바라본다면 행복하다.' 는
        생각을 가지고 평범한 사람이 되기위해 살아간다

        인스타그램: @91kang_

계절은 누구에게나 똑같이 존재하지만, 추위나 더위의 온도는 저마다 다르다. 한 번씩 겨울이 찾아올 때쯤 나는 유난히 추웠던 그해 겨울을 돌아보며 그날보다는 춥지 않길 기도하곤 한다. 여름이 뜨거운 만큼 겨울은 춥고 봄이 아름다운 만큼 가을은 유난히 쓸쓸하며 아침이 맑으면 밤은 유독 짙다. 그해의 봄은 화려했고 여름은 유난히 뜨거웠으며, 겨울은 예고 없이 찾아와 나의 계절 온도를 다시 봄이 오지 않을 만큼 낮춰놓았다.

스무 살의 나는 군청색의 육군 정복을 입고 어깨에 금장 계급장을 달고 있는 나를 아버지는 무척이나 자랑스러워하셨다. 가족들의 큰 기대를 짊어지고 스물두 살이 되던 해의 어느 봄 이였다. 연병장의 커다란 스피커에서 흘러나오는 나팔 소리가 새로운 하루의 시작을 알릴 때 방안의 모든 것에는 아직 푸른 새벽이 물이 들어있었다. 훈련이 시작되는 아침, 몸은 이미 훈련을 마친 듯 하루의 시작을 부정하고 있었다. 아직 달빛이 남아있는 책상 위 가족사진을 한참 바라보다 푸른 새벽과 함께 오늘의 준비를 시작했다. 뜨거운 햇살은 푸른 새벽을 금방 삼켜버렸고 고된 훈련의 하루도 햇살에 삼켜지며 막바지에 다다를 즈음이었다. 전투화 안과 뒤꿈치를 지나 허리를 타고 등골이 오싹할 정도의 진동이 느껴질 정도로 큰 소리가 났고 마지막 감각을 안겨준 채 온몸은 고통으로 물들었다. 큰 소리를 들었는지 멀리서부터 다른 동료들이 놀란 눈으로 뛰어오기 시작했고 모든 상황을 지켜보던 선임 간부는 그 누구도 나의 몸에 손을 대지 못하게 막아섰다. 괜찮은 척, 별일 아닌 척 생각하고 말하고 있지만 그들이 듣기에는 그저 견디고 있는 신음으로밖에 안 들렸을 것이다. 나 또한 그들의 걱정스러운 말들이 물속에서 듣는 것처럼 말처럼 들리지 않았고 나만의 시간에 갇힌 것 같았다. 주변을 둘러싸고 있던 사람들도 본능적으로 큰일이 났음을 직감했는지 고요한 눈빛만이 나를 바라보고 있었다. 그렇게 나의 가장 뜨겁고 화려했던 20대의 막을 내렸다.

얼마쯤 지났을까, 사이렌 소리가 적막을 깨며 달려왔고 얼마 되지 않아 차가운 침대에 누워 이 고통이 끝나기만을 기다렸다. 얼마나 지났을까? 스쳐 지나가던 창밖의 풍경은 더 이상 움직이지 않았다. 수많은 사람이 나를 둘러싸고 다급한 목소리로 알 수 없는 말들을 내뱉었다. 병원 천장이 움직이기 시작하고 사람들은 나를 보며 말을 걸었지만, 처음 바라보는 시선에 어떤 대답을 해야 할지 머릿속 서랍을 뒤져 보았지만, 어떤 단어를 선택해야 할지 알 수 없었다. 몸을 가누지 못하는 나를 일으켜 세우고 또 다른 얼음장 같은 침대 위에 눕히며 검사를 시작했다. 감기가 아니고서 병원에 오간 적이 손에 꼽을 정도였던 나는 무거운 진료실 분위기에 심상치 않음을 직감적으로 알았고 군의관은 더 무거운 목소리로 나를 더욱 깊은 심해로 안내했다. "응급수술을 진행해야 합니다." 그의 말 한마디에 순간 나의 시계는 멈춘듯했고 흐르지 않은 시간 속에서 나는 한참이나 생각하다 내 이름의 무게에 책임을 지기로 마음을 먹었다. 수술동의서에 서명하고자 수술동의서에 서명하고 수술실로 들어가는 일. 흔한 일인 줄 알았다.

처음 받는 수술이 공포를 데려와 짙은 어둠이 되어 몸을 뒤덮을 때쯤 이제야 가족 생각났고 그래도 아버지께 말씀은 드려야겠다는 생각이 들었다. 이때까지만 해도 건강하게 전역하겠다는 약속을 지키고 싶은 마음에 얄궂은 자존심을 부리면서 가족에게 얘기하지 말아 달라고 부대에 신신당부했다. 그러나 이름의 무게를 감당하기엔 너무 어렸던 나는 덜덜 떨리는 손을 잡아줄 따뜻한 목소리가 필요했다. 건강하게 돌아오겠다는 약속을 어기고, 모든 자존심을 내려놓은 채 그렇게 처음으로 20살의 갓난아이처럼 목 놓아 울어버렸다. 하늘색의 환자복이 진청색으로 물들어 갈 때쯤 더 짙은 어둠이 찾아온 건지 눈이 부어버린 건지 어두운 밤이 찾아왔고 잠시 눈을 감았을 때 따뜻한 아침 햇살을 보다 나를 더 먼저 비춘 것은 수술실의 불빛이었다. 모든 풍경이 낯설었다. 수술실 밖이 살짝 보이는 작은 창문만이 따뜻해 보였다. 후회가 밀려들 무렵 10부터 거꾸로 세보라는 간호사의 목소리가 따뜻해서였을까? 그리운 기운에 눈을 감았고 다시 눈을 떠보니 6

시간이 지난 병실의 햇살이 나를 비추고 있었다.

  그날의 햇살은 나의 겨울을 녹이기에 충분했고 마취가 풀리지 않아서였을까? 아픔이 다시는 찾아오지 않을 것 같았다. 수술이 성공적이라는 군의관의 한마디에 온몸으로 느끼기 위해 햇살을 찾아 침대 위를 탐험하기 시작했다. 탐험이 끝나갈 때쯤 문득 한 생각이 머리를 스쳤다. 온몸이 햇살을 찾았지만, 왼쪽 다리는 한참이나 햇살을 찾지 못한 것 같았다. 혹시나 하는 마음에 다시 두 다리를 있는 힘껏 움직여 보았지만, 결과는 똑같았고, 나를 찾아온 군의관에게 왼쪽 다리의 모든 것이 느껴지지 않는다고 말하자 한참 동안 지켜보다 '하반신 마비'라며 재수술을 권했다. 그에게 내 몸을 더 이상 맡길 수 없었다. 구급차는 신음으로 가득 찼고 내 마음을 대변이라도 하듯 사이렌은 적막을 깨고 꽉 막힌 도로를 가로질러 움직였다. 왼쪽 다리에는 손톱자국이 가득했고 걱정된 눈빛으로 바라보는 간호사와 눈이 마주쳤다. 간호사의 손이 떠난 자리엔 핏기가 서릴 만큼 손톱자국이 새롭게 나 있었다. 다리를 누르는 것을 눈으로 보기 전까지 내 다리를 스치는 느낌은 바짓단뿐이라고 생각했다. 다시 병원 천장이 눈앞에 지나가고 밝은 수술실 조명이 내 몸을 감쌀 때, 나는 수위의 초록색 천처럼 아무런 힘이 들어가지 않았다. 숫자를 다시 한번 더 거꾸로 세어보라는 간호사의 말에 숫자를 세지 않았다. 아니, 이 지독한 악몽 속에서 1분이라도 빨리 깼으면 하고 부정하고 있었다. 눈을 감았다 떠보니 수술실의 차가운 빛이 아닌 아버지의 따뜻한 손길이 내 몸을 살피고 있었다.

마취에서 깨자, 지옥이 시작됐고 누우면 온몸의 뼈들이 뚫고 나오는 것 같았다. 옆으로 누우려고 힘을 주변 허리가 으스러지는 것 같았다. 더 이상 숫자를 거꾸로 세라고 하면 차라리 죽이라고 하고 싶었다. 손바닥에는 손톱자국이 가득했고 조금이라도 상처에 스치면 경련이 일어났다. 숨이라도 크게 쉬려고 하면 온 몸을 쥐어짜는 것 같았고 눈앞이 어두워졌다. 엊그제 까지 나는 두 다리로 훈련장을 누비고 부대원들을 통솔하던 소대장이었다. 하루아침에 온몸을 못쓰게 된다는 공포는 나를 어두운 미래로 점점 밀어 넣기 시작했다. 차라리 그만하고 싶었다. 영화에서처럼 혀를 깨물어보기도 하고 숨을 억지로 참아보기도 했다. 그러나 사람은 간사했다. 죽고 싶었지만 살고 싶었다. 모순된 생각을 시험이라도 해보는 듯 의사는 마취가 막 풀리기 시작한 나에게 진통제를 맞으며 재활을 하지 않는다면 다리를 영영 쓸 수 없을 거라며 침대 옆에 진 통주사를 올려두고 재활치료실로 안내했다.

진통제와 보낸 한 달의 시간이 지나고 겨우 두 다리로 설 수 있을 때, 다 지나간 줄 알았던 추위가 더 크게 찾아왔고 그렇게 숫자를 거꾸로 세기를 8번, 이제 할 수 있는 건 더 이상 수술대에 오르지 않고 겨울이 지나가기만을 바랄 뿐이었다. 굳게 다문 어금니는 조금씩 부딪혀 모래 알맹이처럼 씹히고, 턱이 빠질 만큼 간절히 노력했지만 반쪽만 남은 다리는 좀처럼 되찾을 수 없었다. 운동과 훈련이 일상이었던 몸은 반쪽이 되어버리니 막상 할 수 있는 건 그리 많지 않았다. 그저 멍하니 천장을 바라보며 쓸모없는 몸뚱아리, 실패자, 패배자라고, 되뇌는 일분이었다. 지나온 시간을 후회하고 앞으로의 미래에 좌절하고 있을 때쯤, 마치 생각들이 내 앞에 인사담당관의 모습으로 나타난 것 같았다. 더 이상 움직이지 않는 몸으로 나라를 구하는 건 할 수 없으니 집으로 돌아가도 좋다고 했다. 아마 더 좋은 이야기했을 것이다. 그러나 군인으로서 사형선고를 받은 자리에서 좋게 들리진 않았다. 그렇게 가장 추웠던 그해 겨울, 쉴 곳도 찾지 못한 채 쫓겨난 어린 날의 나는 정처 없이 떠돌다 작게 웅크린 채 주저앉아버렸다.

집으로 돌아온 나는 움직일 수 있지만 움직이지 않는 몸을 가지고 하루씩 죽어가고 있었다. 햇살이 내 방을 비추고 침대가 주황빛으로 물들여갈 때 따뜻함은 반쪽이 되던 날의 기억으로 돌아와 더 어두운 그림자로 나를 뒤덮었다. 창밖에 사람들의 웃음소리가 햇살이 되어 내방에 머무를 때면 나의 등 뒤에는 더 짙은 그림자로 남아있었다. 밝게 빛나던 나의 웃음은 언젠가부터 보이지 않을 만큼 점점 작아졌고 나에게 보이는 건 지난날의 잔상뿐이었다. 웃음이 머무르는 빛이 두려워 돌아서다 보니 끝이 없는 심해로 가라앉기를 1년, 하늘보다 바닥에 가까워진 나는 다시 웃고 싶었다. 아니, 살고 싶었다. 창문 밖 사람들처럼 웃고 떠들며 걷고 싶었다. 그러나 이 몸으로 할 수 있는 것은 없다고 생각했다. 의사는 퇴원하는 나에게 신신당부 했다. 1시간 이상 앉아있지 말 것, 양반다리 하지 말 것, 오래 누워있지 말 것, 격한 운동 하지 말 것, 오래 걷지 말 것, 뛰지 말 것, 오래 서있지 말 것. 내 귀엔 뒤척거리며 숨쉬기만 하라는 듯 들렸다. 나는 나의 20대를 누워서 숨쉬기만 할 수 없었다.

　창문 밖 사람들이 무엇 때문에 웃는지 모르지만 나도 똑같은 사람으로 태어났다는 생각이 스치고 지나갔다. 무엇이든 도전 해보자는 생각이 들 때 통장에는 수술비로 다 빠져나간 퇴직금 기록과 잔액 6만 원만이 나의 도전을 함께 하기 위해 기다리고 있었다. 누워서 할 수 있는 발전적인 6만 원. 개소리였다. 도전해 보자는 굳은 의지는 다시 꺼져가는 불씨가 되어가고 있었다. 어두운 방 아래로 거실의 불빛과 나지막이 들려오는 TV 소리가 귀를 감쌌고 그 소리는 마치 수면위에서 나를 찾고 있는 또 다른 소리 같았다. 한참 동안 듣고 있던 나는 소리가 이끄는 곳으로 문을 열고 두 걸음 정도 뗐을 때 TV에서 흘러나오는 낡은 기타 소리가 마음에 녹아들었다. 그렇게 나는 있는 힘껏 다시 도약을 시도했다. 6만 원짜리 기타를 샀다. 하루에 8시간씩 누워서 소리가 날 때까지 기타를 쳤다. 손이 뜯어지고 물집이 잡히는 고통은 내가 가진 고통에 비해 그리 큰 것은 아니었다. 하루에 10시간씩 쳤을까? 굳은살이 생겨날 즈음 내 마음에도 굳은살이 생겨나기 시작했다. 노력해 보니까 되지 않는 게 없다고 느껴졌다. 그렇게 추위에 적응하며 봄을 찾아 나섰다. 봄이 다가오기에 겨울이 물러가는 것일까, 겨울이 물러가기에 봄이 다가오는 것일까? 내가 도전해야 용기가 생길까? 용기가 생겨야 도전을 할 수 있을까? 내 행동에 질문을 남겼고 질문의 답은 가슴안에 뜨거운 불씨를 남겼다.

가슴에 한 번 해봐야 알 것 같다는 불씨가 점점 태양보다 따듯한 열을 내며 그림자를 잠재우고 있었다. 멀리서 뜨겁게 비추는 태양보다 내 안에 자리 잡은 작은 불씨 하나가 사람을 바꾼다고 생각한다. 두 번째 도전은 커피였다. 격하게 움직이지 않으면서 오래 서있을 순 있지만 그렇다고 서있지만은 않는 바리스타의 길을 찾아 나섰다. 그러나 찾아 나선 그 길도 순탄치만은 않았다. 면접만 양 손가락이 다 접힐 만큼 볼 때쯤 다시 현실을 직시했다. 내가 가진 몸의 불편함을 알리지 않고 일한다는 것은 옳지 않기에 처음부터 알리고 면접을 봤지만, 좋은 시선으로 바라보고 연락이 온 사람은 없었다. 다시 절망의 그림자 속으로 들어가려고 할 때 침묵을 깨는 진동 소리에 온몸이 긴장되었다. 작은 진동 소리가 신호탄이 되어 두 번째 출발을 알려주었다. 내가 해야 할 일을 온전한 사람이 대신 해줄 때 좋지 않은 시선으로 바라보던 사람들도 간혹 있었다. 그럴 때마다 항상 반쪽짜리 사람이라는 생각이 전두엽을 자극했고 다른 사람들보다 두 배는 더 짙은 농도의 삶을 살기로 다짐했다. 몸은 반쪽이지만 삶은 더 깊고 짙은 사람이 된다면 그들과 같은 사람이 될 수 있을 거라 믿었다. 그런 생각들이 나의 미래를 그려나가게 만들어 주었지만, 쉽게 그려지진 않았다. 밑그림만 수십번 그리길 반복할 무렵, 재활치료를 받으러 길을 나섰을 때 새로운 시선으로 세상을 바라보고 있었다.

반쪽 다리지만 두 다리가 붙어있음에 감사했고, 이런 생각을 할 수 있다는 자체가 감사했다. 또, 치료받기 위해 병원까지 무사히 데려다주던 버스 기사님에게 감사했고, 병원 문을 열어주던 작은 꼬마에게 도 감사했다. 나도 누군가에게 감사한 존재가 되고 싶었고 버스 운전 면허를 취득했다. 나의 세 번째 도전이었다. 내가 운행하는 버스에 오르고 내릴 때 "감사합니다."라는 그 한마디가 누군가에게 정말 감사한 사람이 되었다는 행복에 취해있었다. 행복도 잠시, 반쪽짜리 다리가 다시 말썽을 부렸다. 운전하던 도중 한쪽 다리에 힘이 빠져버렸다. 그렇게 행복을 뒤로한 채 차고지로 돌아가는 빈 버스처럼 공허한 마음만 안고 다른 행복을 찾기로 했다. 그러나 감사함이 불러온 작은 불씨는 얼음을 녹이기 충분했고, 행복을 향한 발길 사이로 새로운 새싹이 돋아났다. 녹아버린 땅으로 고개들은 새싹들은 나의 미래를 그려나갈 수 있도록 버스 운전을 포함해 10개의 자격증의 꽃을 피워주었다. 봄의 문턱에서 햇살을 향해 고개를 들어갈 때 문득 궁금했다. 마음의 반쪽은 찾아가고 있지만, 몸의 반쪽을 찾기 위해 재활을 언제까지 해야 하는지 궁금했다.

지금 생각해 보면 차라리 물어보지 않는 편이 나을법했다. 내 행복을 샘이라도 내는 듯 한마디의 말로 꽃샘추위를 가져다주었다. 차라리 궁금해하지 않았다면 나에게 봄이 오지 않았을까? 하는 후회까지 남게 되었다. "호전 가능성은 없습니다." 주치의의 말을 믿고 싶지 않았다. 병원이 전문성이 없다고 믿고 싶었다. 잘못 들었을까 싶어 소견서도 받아 보았지만, 종이에 검게 녹아든 잉크는 오히려 내 마음에 더 진하게 스며들었다. 아무런 말도 들리지 않았고 아무것도 보이지 않았다. 수능 전 들었던 수능 금지곡보다 더 귀에 맴돌았고 눈에 선명했다. 어둠이 가득한 집에 돌아와 방에 돌아누웠다. 하지만 지금은 느낄 수 있었다. 지금 귀에 맴도는 말은 처음 반쪽 사람이 되었을 때 들었던 말보다 따듯했고, 그날의 추위보다 견딜만했다. 감사함 속에 10개의 꽃을 피웠으며, 다가오는 봄을 위해, 더 많은 꽃을 피우기 위해 걸음을 옮겨야 한다는 것을 알게 되었다.

　　꽃이 지지만 슬프지 않은 계절, 새로운 시작에 설렌 계절. 그 계절에 나는 서있고 또 다른 꽃을 피우려 하고 있다. 두 다리가 되어주는 오토바이로 지도에 없는 길을 탐험하며 감사한 것을 찾고 있다. 또, 감사함을 담기 위해 셔터를 누르며 세상의 계절 속에 피어난 꽃을 담기도 하고, 때로는 내 생각을 말하기 위해 기타 한 대를 가지고 전국을 누비며 여행을 떠나기도 한다. 언제나 준비되지 않아도 계절은 찾아온다. 그리고 사람들은 계절에 맞게 준비한다. 나에게 앞으로 겨울이 다시 오지 않을 것이란 생각은 하지 않는다. 가장 추웠던 겨울을 견뎌냈기에 어떤 겨울도 두렵지 않다. 겨울을 준비하는 방법을 배웠고 추위를 극복하는 방법을 배웠다. 계절은 생명을 낳기도, 죽이기도 하며, 고통스러울 정도로 덥다가 괴로울 정도로 춥기도 하다. 그런 계절 안에서 사람의 마음도 항상 같을 순 없다. 준비되지 않았을 때 계절이 바뀌기도 하며 바뀌는 계절에 꽃과 열매가 항상 피어있을 수 없다. 나의 겨울은 준비되지 않았을 때 찾아왔고 겨울을 준비할 생각보다 따듯함을 부러워하곤 했다. 그럴수록 마음은 시들어갔고, 준비할 시간은 짧아져 갔다. 그러나 길었던 겨울을 보내고 다시금 돌아볼 때면 작은 꽃씨 하나를 가지고 있었기에 이겨낼 수 있었다.

봄날의 꽃은 따듯한 곳이 아닌 얼어붙은 땅에서부터 시작하며, 봄은 겨울에서부터 시작한다. 또, 얼어붙은 땅이 발걸음에 담긴 열기로 녹아들 때 꽃은 뿌리를 내린다. 뿌리를 내린 꽃이 고개를 들 때면 나의 걸음이 지나온 자리는 꽃길이 될 것이다. 지금 걷고 있는 이 길도 언젠간 또 찾아올 차가운 겨울 안에서 뒤를 돌아본다면, 따스한 발걸음에 얼어붙은 겨울이 녹아 꽃을 피운 꽃길이길 바랄 뿐이다.

선이 그림이 되는 순간

오경임

오경임   어느날 갑자기 사랑하는 반려묘가 심장마비로 세상을 떠났다. 그 후 나는 인생의 전환점을 맞이하게 되었다. 그 후 갑자기 몸이 아팠고 나의 삶은 무기력했다. 나는 점을 시작으로 나의 새로운 두 번째 인생을 그려나가기 시작했다. 가장 춥고 아팠던 지난 봄날을 지나 나는 지금 따뜻하고 설레는 봄을 그려본다.

인스타그램: @reveon_story
블로그: https://blog.naver.com/reveonstory

"몸을 동그랗게 말고 다리는 모은 채 옆으로 누우세요."

수술실 조명 빛들이 나를 향해 쏟아져 내렸다. 눈을 가늘게 뜬 상태로 다리와 팔을 가지런히 눕혔다. "척추마취 할 때 놀라실 수 있어요." 의사가 무덤덤하게 말했다. 그 찰나의 순간 나의 머릿속은 여러 가지 생각들로 가득 차 있었다. 나는 앞만 보고 달려오느라 무엇을 놓치고 있었던 걸까. 만약 마취에서 깨어나지 못하면 어쩌나 하는 생각이 들었다. 수술동의서 서류에 마취 부작용이 있을 수 있다는 내용이 갑자기 뇌리를 스쳤다. 그 상상만으로 나의 몸은 옴짝달싹할 수 없었다. 미처 다른 생각을 떠올릴 틈도 없이 큰 마취 바늘이 내 척추뼈 깊숙이 들어왔다. 눈을 감고 있었지만 차갑고 긴 바늘의 모양이 사진처럼 머릿속에 그대로 그려졌다. 그 주삿바늘은 척추를 따라 여러 곳을 찔러댔다.

사실 나는 수술 1주일 전 자궁 초음파에서 자궁근종과 선근종이 발견되었다. 자궁 선근종은 마치 굳은살이 생기듯 자궁벽이 두꺼워지고 비정상적으로 자궁이 커지는 질병이다. 의사는 수술을 해도 완치가 되는 것은 아니라고 말했다.

"최대한 빨리 수술 날짜를 잡으셔야 해요. 그대로 두시면 자궁 적출을 해야 할 수도 있습니다." 의사의 말은 마치 메아리처럼 내 얼굴과 몸을 휘감고는 서서히 사라져갔다. '네? 저 지난번 건강검진에서 이상 없었는데요?'라며 되물었지만, 의사는 침묵할 뿐이었다. 나는 '왜? 하필 나야?'라며 원망의 눈물을 삼켰다.

특별한 것 없는 어느 주말 아침 무거운 눈꺼풀은 내 온몸을 짓누르고 있었다. 친구는 나보다 일찍 일어나 거실을 둘러보고는 내게 재미있다는 듯 한마디 툭 던졌다. "고양이가 거실에 죽은 것처럼 잔다? 한번 나가서 봐봐." 나는 졸린 눈을 비비며 거실로 향했다. 고양이 로지가 정말 옆으로 죽은 것처럼 누워있었다. 나는 엉덩이를 톡 건드렸다. '어라? 왜 움직임이 없지?' 그 녀석을 안아 들자, 온몸이 힘없이 축 늘어진다. 눈은 가늘게 뜬 상태로 숨은 쉬고 있지 않았다. 나는 눈물범벅인 채로 정신없이 달려 동물 병원에 도착했다. 수의사는 여러 차례 다양한 약물과 심폐소생술을 시도했다. 그 아이에게 기적이라는 선물을 바랐는지도 모르겠다. 나의 간절함과는 달리 이별을 준비할 겨를도 없이 그 아이를 떠나보냈다. 그 후 내가 보는 세상은 잿빛으로 물들어 있었다. 무엇을 하든 무기력했고 아팠다. 나는 그 아이의 물건을 한동안 버리지 못했고 남겨진 고양이 앨리는 현관문을 바라보며 밤마다 울어댔다. 짧았지만 함께한 3년이란 시간이 마치 영화처럼 내 머릿속을 훑고 지나갔다. 내가 로지를 처음 만난 건 회사 창고였다. 관리부

직원이 창고에서 새끼 고양이를 구조했다고 했다. 내가 마주한 건 택배 상자 안에 태어난 지 고작 한 달 넘긴 듯 보이는 작은 생명체였다. 작은 눈엔 눈물과 눈곱이 뒤엉켜 있었고 노란색 치즈 태비였다. 먼지 때문인지 노란색 털은 꼬질꼬질한 회색으로 보였다. 저녁이 되자 퇴근도 못한 채 웅성웅성 직원들이 박스 앞에 모여 있었다. 이 작은 고양이를 어떻게 해야 할지 모두 고민에 빠진 듯 보였다. 하지만 누구도 선뜻 키우거나 데리고 가겠다고 나서는 사람은 없었다. 동시에 모두 나를 쳐다보았다. 내가 이미 고양이를 10년 가까이 키우고 있었기 때문이었다. 나는 하는 수 없이 그 아이를 데리고 집으로 돌아왔다. 어미를 잃고 돌멩이로 배를 채웠던 길고양이는 그렇게 나와 가족이 되었다. 그 아이는 내게 비타민이자 삶의 활력소였다. 퇴근 후 지친 몸을 이끌고 집에 들어와 얼굴을 마주할 때면 스트레스가 한순간에 사라졌다. 시간이 흘러 성묘가 되었고 반짝반짝 빛나는 노란 털과 흰 양말을 신은 듯한 발을 갖게 되었다. 내가 뜨개질을 할 때면 실타래를 물고 이리저리 던지고 뛰어놀던 모습이 아직도 생생하게 떠오른다. 그 아이는 유독 내가 뜨개실로 만든 장난감을 물고 뜯는 것을 좋아했다. 휴일이면 소파에서 하루 종일 뒹굴다 함께 잠들기도 했다. 이별은 남은 이들을 고통의 동굴로 숨게 만든다. 나는 한동안 왠지 모를 두려움에 잠을 이룰 수 없었다. 전날까지도 공놀이하며 뛰어놀던 녀석이 심장마비로 떠난 이유였다. 나도 갑자기 심장마비로 내일 아침을 맞이할 수 없을지도 모른다는 불안감에 심장이 두근거렸다. 그 후 직장 내 스트레스가 최고조를 향해 달려갈 즈음 알 수 없는 복통과 바늘로 찌르는 듯

한 가슴 통증이 시작되었다. 나는 평상시였으면 무심코 지나쳤을 몸이 보내는 신호를 알아차렸다. 그 덕분에 나는 건강검진과 조직 검사를 받은 후 자궁과 유방 수술을 받았다. 로지와의 이별 이후 나는 많은 것이 변했다. 몸이 아프면 바로 병원에 방문해서 검진받는다. 갑작스러운 이별은 큰 아픔을 주었지만 내 삶에서 가장 중요한 것이 무엇인지를 깨닫게 해주었다. 그 후 나는 퇴사했고 혼자가 되었다. 사람은 소중한 것을 잃고 나서야 무언가를 깨닫는 어리석은 존재인 것 같다. 나는 가족인 고양이를 잃었고 나의 건강을 잃었다. 그 후 내가 진정 원하는 것이 무엇인지 관심을 갖기 시작했다. 무엇을 좋아하는지 무엇이 되고 싶은지 무엇을 해야 행복한지 알고 싶었다. 퇴사 후의 일상은 평온하지 않았다. 전쟁터 같았던 직장 생활에서 벗어나면 삶이 마냥 행복할 줄 알았던 건 나만의 착각이었다. 그래도 새벽 일찍 눈을 떠 출근 준비를 하고 종일 직장에 얽매여 있지 않아도 되었다. 나는 시간적 경제적 여유가 되면 하고 싶었던 버킷리스트를 작성하기 시작했다. 내가 이번 일을 겪지 않았다면 또 미루고 있었을 나의 소망들. '일단 시작해 보자.' 다짐했다.

나의 버킷 리스트

1. 해외로 자유여행 가기

2. PT 받기

3. 가죽공예 배우기

4. 고양이에게 매일 사랑한다고 말해주기

5. 라틴댄스 공연 무대서 보기

6. 스페인어 배우기

7. 타로 운세 배워보기

8. 글쓰기

9. 그림 작가 되기

10. 재능 기부하기

그동안 모아놓은 돈을 나에게 투자하는 일은 즐거운 일이었다. 나는 무엇보다 건강에 관심을 많이 갖기 시작했다. PT를 등록하고 체력을 키우기 위해 식단을 병행했다. 스트레스 관리에 좋다는 라틴댄스를 열심히 배우고 홍대거리 축제에서 공연하게 되는 새로운 경험도 하게 되었다. 하지만 퇴사 후의 삶은 또 다른 문제였다. 20년 가까이 웹디자이너로 일했지만 퇴사 후 나는 뚜렷한 직업 없이 아무것도 아닌 존재로 남겨졌다. 무엇을 하며 남은 인생을 살아야 할까? 모아놓은 퇴직금과 자금이 바닥을 보이기 시작하자 불안감과 두려움은 더욱 심해져 갔다. 나는 내성적이고 예민한 편이다. 직장 내에서 아첨과 아부하는 사람들을 볼 때면 화가 치밀었고 형평성에 어긋나는 일을 눈감고 지켜보는 성격이 아니었다. 그런 이유로 나는 직장생활이 유독 힘들었는지도 모르겠다. 입사와 퇴사를 반복했던 나의 삶은 지금 생각해 보면 참으로 어리석은 선택이었다. 뻔히 결과가 눈에 보였지만 미래에 대한 두려움으로 다시 입사를 선택했다. 현재 퇴사 후의 삶도 스트레스가 없지는 않다. 내 시간을 자유롭게 사용하는 것은 행복하지만 그 시간은 결국 돈과 직결되었다. 모아놓았던 돈으로 생활하다 보니 남들이 연휴를 만끽하는 동안 나는 미래에 대한 걱정으로 시간을 보내야만 했다.

그렇게 6개월이 훌쩍 지날 즈음 우연히 SNS에서 광고 하나가 눈에 들어왔다. 그림작가 독립출판이라는 강의였다. 언젠가 나의 이야기를 그림으로 그려보고 싶다는 생각을 한 적이 있었기에 무언가에 홀린 듯 바로 수강 신청을 했다. 그림책의 경우는 글은 적지만 그림으로 내용을 전달해야 해서 내겐 높은 벽처럼 느껴졌다. 나의 그림책은 무지개다리를 건넌 고양이에 관한 이야기다. 아직은 치유되지 않은 나의 마음 깊은 곳의 상처이자 그리움이었던 이야기. 나는 노트북을 열고 한 자도 쓰기 목이 멨다. 과연 내가 그림책을 완성할 수 있을지 의구심이 들었다. 어떤 이들은 글을 쓰고 그림을 그리면 상처가 치유된다고들 말한다. 나는 상처를 치유하고 앞으로 나아갈 수 있을지 확신이 서질 않았다. 그래도 시작하자고 다시 마음을 다져나갔다. 결국 그 시간을 견디며 스토리보드를 완성했다. 곧이어 12장면을 그림으로 만드는 작업을 해야 했다. 펜을 들고 점 하나를 찍었다. 점이 모여 선이 되고 선들이 모여 그림이 되듯 나는 선을 그리고 싶었다. 나의 미래는 어떤 그림일지 궁금하면서도 캔버스 위에 점만 찍고 여전히 망설이고 있는 나 자신이 한심해 보였다. 점 옆에 또 다른 점들이 모여 그림이 되는 순간 다시 로지를 만날 수 있을까? 잠시 눈을 감고 상상해 본다. 그때마다 마르지 않는 샘물처럼 눈물은 끝없이 내 얼굴을 타고 흘러내렸다. 그 눈물의 의미는 그리움이었을까 아니면 죄책감이었을까. 그 아이가 떠난 그날 아침에 내가 조금 더 일찍 일어나 발견했더라면 달라졌을까. 아니면 동물 병원에 자주 내원을 했더라면 그 아이가 가지고 있는 유전병이 무엇인지 알 수 있었을까. 내가 가장 마음 아픈 건 심장마비의 원인을 알지 못한다는 것이었다. 그저 수의사를 통해 들은 이야기는 길에서 사는 고양이들은 심장이 약한 경우가 많다는 것이었다. 준비되지 않은 갑작스러운 이별은 내게 죄책감이라는 무거운 짐을 남겼다. 나는 용기 내어 펜을 쥔 손으로 천천히 선을 그려 나갔다. 아직은 삐뚤삐뚤 서툴렀지만, 다양한 브러시를 이용해 색을 칠해 본다. 나만의 그림을 수채화처럼 그릴까 오일 파스텔처럼 칠해 볼까? 색을 고르는 것도 브러시를 선택하는 일도 내겐 어려웠다. 한 장 한 장 그림을 그릴 때면 그때의 상황이 생생하게 떠올랐다. 그 고통과 맞서지 않고 앞으로 나아갈 수 있을까. 그렇게 여러 번 펜을 놓았지만 할 수 있다고 나 자신을 격려했다. 나의 점과 선들이 모여 그림이 되어가기 시작했다. 나에게 가장 힘들었던 그 장면을 그린 후 아프지 않고 행복하게 살고 있을 그 아이의 모습을 상상했다. 나는 억눌려 있던 무언가가 조금은 가벼워짐을 느꼈다. 그렇게 선을 따라가다 보니 미소 짓고 있는 그날의 로지를 다시 만날 수 있었다.

그 이후 나는 나의 이야기를 쓰고 그림을 그리며 살아야겠다고 결심했다. 내가 가야 할 길을 정했으니 이젠 그 일을 병행할 수 있는 고정 수입이 필요했다. 조금이라도 경제적인 부담을 줄이기 위해 단기로 할 수 있는 일을 찾기 시작했다. 포장이나 대부분 생산직 아르바이트가 주를 이루었다. 무슨 일이든 나의 꿈을 위해서는 할 수 있으리라 생각했지만, 채용하는 회사에서는 전에 내가 무슨 일을 했는지 궁금해했다. 디자이너로 20년 가까이 근무했다고 소개란에 남겨서인지 어느 곳에서도 연락이 오지 않았다. 때로는 포장일은 아무나 하는 게 아니라는 답이 돌아오기도 했다. 경제적인 부분에 부딪히자, 직장으로 다시 돌아가야 하나라는 생각이 스멀스멀 올라왔다. 그 시기에 전 직장에서 입사 권유를 받았다. 나는 직장 다니면서 미래의 꿈을 위해 글을 쓰고 그림 그리는 일을 병행할 수 있을지 고민해 보았다. 모든 에너지는 한계가 있듯 나의 체력에도 한계가 있었다. 직장을 다시 다니게 되면 또다시 새벽에 일어나 종일 회사에 있어야 한다. 퇴근 후 피곤한 몸을 이끌고 운동을 하고 늦은 밤 집에 돌아와 시체처럼 침대에 눕는 모습을 상상해 본다. 그 삶이 내가 원하는 삶이었는지 다시 곱씹어 보았다. 이미 입사와 퇴사를 반복하며 충분히 경험했음에도 나는 가끔 흔들린다. 내게는 글을 쓰고 그림을 그릴 시간이 필요했다. 나는 종일 하는 일이 아닌 시간제 근무나 원할 때 할 수 있는 일을 찾았다. 그때 마침 반려동물 돌봄 서비스 일이 떠올랐다. 나는 집을 비울 때면 고양이를 돌봐주는 돌봄 서비스를 종종 이용한다. 나는 고양이를 좋아하니 그 일을 해보면 어떨까 싶었다. 나는 반려동물 돌봄 교육을 받고 소소하게 그 일을 시작했다. 앱에 예약이 올라오면 수락하는 시스템이었기에 내가 가능한 시간에 돌봄 일을 할 수 있어 좋았다. 처음엔 좋아하는 고양이도 보고 일석이조라고 생각했다. 하지만 처음 방문한

곳에서 사납게 고양이의 위협하는 소리에 놀라 현관문 안으로 들어갈 수조차 없었다. 때론 30분 돌봄 서비스를 위해 왕복 2시간을 길에서 버려야 하는 경우도 발생했다. 세상에 쓸모없는 경험은 없다고 했으니 이 또한 좋은 경험이라 생각했다. 그러던 어느 날 단기 아르바이트를 둘러보던 중 하루 4시간만 근무하는 곳을 발견했다. 주된 업무는 쇼핑몰 이미지 작업 및 상품 올리는 것이었다. 나는 그렇게 반나절의 아르바이트 일을 시작하며 그림책 출판을 위해 그림을 계속 그려 나갔다. 그림책 출판이 코앞으로 다가오자, 샘플 인쇄를 하며 여러 차례 그림을 수정했다. 그림의 완성도 면에서는 너무 볼품없는 나의 그림책일 수도 있겠지만 스토리가 더 중요하다고 작가 선생님은 격려해 주셨다. 나는 용기를 얻어 일단 첫 출판은 미루지 않기로 했다. 곧이어 ISBN을 신청하여 바코드를 넣으니 그럴듯해 보이는 그림책이 되었다. 나는 그림책이 완성되어 갈 즈음 정기검진을 위해 병원을 다시 찾았다. 수술 후 정기적으로 추적 검사를 하러 병원에 방문해야 했기 때문이다. 나와는 15년이나 된 지인이 그 병원 근처에서 가게를 하고 있었기에 그날 만날 약속을 잡았다. 병원을 들러 초음파 검사를 했고 새로운 혹이 생겨 조직 검사를 하자는 이야기를 들은 날이었다. 사실 누군가를 만나고 싶다는 생각이 들지 않았지만 늘 내 안부를 먼저 물어봐 주고 연락해 주는 고마운 지인이었기에 약속을 취소할 수 없었다. 우리는 점심을 먹은 후 커피를 마시러 이동했다. 그녀는 나의 근황에 관해 궁금해하며 질문하기 시작했다. 나는 그림책 출판을 준비 중이고 글을 쓰고 싶다고 이야기했다. 그러자 지인은 눈을 흘기듯 나를 쳐다보며 말했다. 국문학과를 나온 것도 아닌데 무슨 글을 쓰냐며 돈도 안 되는 것을 왜 하는지 이해할 수 없다는 듯 말끝을 흐렸다. 그리고 추궁하듯 확신이 있어서 그 길을 가려는 것인지 되물었다. 그 순간 나는 가슴속에서 뜨거운 무언가 올라오는 것을 느꼈다. 순간 나의 자존감이 구겨진 종이처럼 바닥에 나뒹굴고 있었다. 내가 그동안 어떠한 마음으로 여기까지 온 것인지 알지도 못하면서 왜 저렇게 쉽게 이야기하는지 이해할 수 없었다. 그날 이후 나는 며칠 잠을 설쳤다. 나는 그 많은 일을 겪은 후 내가 단단해졌다고 믿었다. 여전히 다른 사람의 말에 흔들리며 아파하는 나약한 존재였다는 사실에 더 힘들었다. 하지만 그림책 출판을 함께했던 작가님들의 따뜻한 격려와 응원에 그림책 출판을 할 수 있었다.

한겨울 매서운 바람처럼 날 움츠러들게 했던 작년의 혹독했던 봄, 따뜻함과 설렘으로 다가오는 이번 봄엔 벚꽃과 함께 4월 그림책을 출판한다. 책을 포장할 포장지를 주문하고 정성스레 책을 포장했다. 예스24와 알라딘 서점에 판매를 위해 계약을 진행했다. 승인을 기다리며 인스타 계정을 만들고 블로그에 글을 쓰려고 한다. 이렇게 한발 한발 내디딜 수 있는 용기를 준 나의 고양이 로지에게 감사의 인사를 보내고 싶다. 그 아이가 아니었다면 용기 내어 병원을 가고 회사에서 퇴사하는 일은 없었을지도 모른다. 나는 아직 온전히 성공한 삶이라고 말할 수는 없다. 그저 아픔을 겪은 후 나의 심적 변화와 새로운 도전에 대해 자신에게 박수와 따뜻한 위로를 보내고 싶었다. 내가 성공한 후에 기적 같은 성공담을 책으로 출판했다면 더 좋았겠지만, 성공이란 한 발을 내딛는 용기에서 시작된다고 말하고 싶었다. 여전히 불안하고 가끔 흔들리는 나지만 내 목표를 세우고 나의 길을 가고자 한다. 새로운 씨앗을 심으면 그 땅에 뿌리를 내리는 데에는 상당한 시간이 필요하다. 나도 얼마의 시간이 걸려야 뿌리를 내릴 수 있을지는 모른다. 하지만 내가 가는 길의 한 걸음 한 걸음이 선이 되고 그림이 되는 그날을 설레는 마음으로 기다려본다.

〈오경임 그림책 – 레인보우 브릿지〉

나의 시간이 머물 때

발행 2024년 7월 7일
지은이 박성아, 홍소리, 김성은, Y.H., 강병준, 오경임
라이팅리더 현해원
디자인 윤소현
펴낸이 정원우
펴낸곳 글ego
출판등록 2019.06.21 (제2019-67호)
주소 서울시 강남구 강남대로 118길 24 3층
이메일 writing4ego@gmail.com
홈페이지 http://egowriting.com
인스타그램 @egowriting

ISBN 979-11-6666-519-6